LES PETITS VÉTÉRINAIRES

COURSE CONTRE LA MONTRE

L'auteur

Laurie Halse Anderson est un auteur américain qui a publié plus d'une trentaine de romans pour la jeunesse et remporté de nombreux prix, dont l'Edwards Award et le National Book Award.

Dans la même collection

Vous avez aimé les livres de la série

LES PETITS VÉTÉRINAIRES

Écrivez-nous
pour nous faire partager votre enthousiasme:
Pocket Jeunesse, 12 avenue d'Italie, 75013 Paris

Laurie Halse Anderson

LES PETITS VÉTÉRINAIRES

COURSE CONTRE LA MONTRE

*Traduit de l'anglais (États-Unis)
par Sophie Dieuaide*

POCKET JEUNESSE
PKJ·

À Catherine Stine,
avec mes remerciements.

Titre original :
Vet Volunteers
12. End of the Race

Publié pour la première fois aux États-Unis en 2003
par Pleasant Company Publications, puis en 2012
par Penguin Young Readers Group.

Loi n° 49-956 du 16 juillet 1949 sur les publications
destinées à la jeunesse : janvier 2013.

ISBN 978-2-266-22184-9

Salut!

Petite, j'adorais la natation. Ma spécialité, c'était le dos crawlé. Je ne connaissais rien du plaisir de jouer en équipe! Comme en famille, quand un coéquipier faiblit, les autres le soutiennent. Parfois, il peut y avoir des jalousies et des tensions. Et la magie du sport est de savoir les dépasser!

Dans cette histoire, Sophie va se sentir menacée. Deux jeunes filles semblent vouloir prendre sa place: l'une dans l'équipe de basket, l'autre à la clinique vétérinaire. Elle va devoir chercher au fond de son cœur la force de travailler avec elles.

Si un jour vous vous retrouvez dans sa situation, j'espère que vous vous souviendrez qu'elle a réussi!

Laurie Halse Anderson

Chapitre 1

· · · · · · · · · · · ·

— **S**alut, Sophie. Je viens avec toi à la clinique, dit Clara en posant sa main sur mon épaule.

Je me retourne et je vois qu'elle a une nouvelle doudoune violette, sa couleur préférée.

— Waouh! Tu es magnifique, Clara!

Cet après-midi, quand le car de l'école nous dépose, il y a une véritable tempête de neige. Les bourrasques rendent difficiles les derniers mètres à pied jusque chez ma grand-mère, le docteur Macore, que tout le monde appelle Doc'Mac.

J'habite avec elle, dans sa maison qui jouxte la clinique vétérinaire. J'y travaille comme bénévole avec mes amis, Clara, David et Isabelle.

Vingt-quatre heures sur vingt-quatre, je m'occupe des animaux, et j'adore ça!

— Pourquoi rentres-tu si tard? me demande Clara. Tu étais à la bibliothèque?

— Moi? À la bibli? Tu rigoles!

Cette année, je me débrouille mieux au collège. Mon professeur de sciences et vie de la Terre m'a beaucoup aidée à m'organiser, mais je ne suis quand même pas devenue un rat de bibliothèque.

— Non, je reviens du basket. Tu aurais dû voir ce match! Quand l'entraîneur m'a demandé de jouer pivot, Lise est devenue verte de jalousie. Elle m'a donné des coups de coude dès qu'il regardait ailleurs et elle est allée se plaindre que j'étais trop petite pour ce poste.

Je fais une boule de neige et je vise au-dessus d'une branche.

— Panier!

— Je crois que Lise jouait pivot dans son ancien collège, me dit Clara.

Même si elle est plus intéressée par les livres que par le sport, elle est au courant que Lise Daubas, la nouvelle, se prend pour une star du basket.

— Tu devrais peut-être te méfier si tu veux garder ta place, ajoute Clara.

Et je vais l'écouter car elle donne toujours de bons conseils.

— Est-ce qu'il y a de nouveaux patients à la clinique ? me demande-t-elle. J'ai dû rater beaucoup
de choses pendant les vacances de Noël.

— Aaaaah ! Je t'en supplie. Ne répète pas le
mot «vacances». Dire qu'elles sont finies ! Alors,
voyons… nous avons en ce moment des chiens et
des chatons. Ils sont trop mignons.

Aussitôt, le regard de Clara s'illumine.

— Des chatons ? Combien ?

Clara est une amoureuse des chats. Siamois,
persans, de race ou de gouttière, elle les aime à la
folie !

— Quatre chatons et un cochon d'Inde nommé
Bouly. Il souffre d'une malocclusion.

— Qu'est-ce que c'est ? Ç'a l'air affreux.

— Ses dents ont trop poussé, il ne peut plus
fermer la bouche. C'est un problème qui touche de
nombreux rongeurs. Bien sûr, le pauvre Bouly ne
peut donc plus s'alimenter correctement.

— Est-ce que Doc'Mac va lui limer les dents ?
demande Clara.

— Oui, elle a prévu de l'opérer samedi.

Encore deux jours au collège, et je pourrai passer
tout le week-end à aider Grand-mère ! Je jouerai
avec ces adorables chatons et je promènerai les
chiens. Ça va être super !

Clara frissonne et resserre son écharpe.

— Est-ce que tu as vu David et Isabelle?

— David est revenu, mais la famille d'Isabelle a décidé de prolonger d'une semaine son séjour au Costa Rica. Ils observent les tortues de mer.

Les parents d'Isabelle s'occupent de la rééducation et de la réintégration en milieu naturel d'animaux blessés. C'est vraiment génial pour Isabelle. Elle peut aider à protéger des espèces en voie de disparition.

— J'échangerais bien ma place contre la sienne sous les cocotiers, crie Clara pour se faire entendre malgré le vent.

Enfin chez moi, nous secouons la neige de nos bottes.

— Waouh! Il fait presque aussi froid dedans que dehors, s'exclame Clara.

Elle enlève sa doudoune et sort aussitôt un autre pull de son sac à dos.

— Grand-mère ne veut pas chauffer la maison quand il n'y a personne. Et comme elle passe toute la journée à la clinique...

J'ai froid et j'ai FAIM. Après l'entraînement de basket, je pourrais dîner deux fois. Dans le réfrigérateur, il n'y a que des yaourts, de la salade et des pommes. Pff! Beaucoup trop diététique pour moi.

— Clara, tu veux des céréales?

— Non, merci, j'ai grignoté quelques gâteaux.

Pendant que j'engloutis un bol de céréales bien sucrées, Clara parcourt les revues vétérinaires. Je parierais qu'elle ne lit que les articles sur les chats !

— J'ai terminé. Viens, Clara. Allons voir si Grand-mère a besoin d'aide.

— Grand-mère ?

— Bonjour ! nous répond une voix inconnue quand nous entrons dans la salle d'attente.

Une fille brune et frisée s'est installée à la réception. Elle remplit des formulaires. Je ne reconnais pas le désordre habituel. Les piles de dossiers sont bien rangées et elle a même trié les stylos.

— Qui êtes-vous ?

Je me demande ce qu'elle fait là, où est Grand-mère et surtout comment va le prendre Clara ? Parce que, le bureau en général, c'est son domaine.

— Je m'appelle Inès Barbosa. Le docteur Macore m'a demandé de l'aider aujourd'hui.

— Pour quoi faire ?

Isabelle sera bientôt de retour, David habite juste de l'autre côté de la rue, et nous, nous sommes là. Nous n'avons pas besoin d'un autre assistant.

— Elle m'a dit que sa petite-fille terminait tard son entraînement de basket et qu'il lui fallait quelqu'un pour la remplacer, explique la jeune fille.

— C'est moi, sa petite-fille… Sophie.

C'est incroyable ! On dirait que Grand-mère veut que je choisisse : basket *ou* clinique.

— J'ai l'impression de te connaître, Inès, dit Clara. Tu étais à l'école primaire avec nous, mais nous n'avons jamais été dans la même classe, c'est ça ? Et tu es venue à la clinique l'année dernière parce que ton canari était malade.

— Oui. Quelle mémoire ! J'ai amené aussi une lapine. Malheureusement, elle est morte cet automne. Elle n'a pas supporté le froid.

Inès a l'air triste pour son lapin, mais aussi flattée que Clara se souvienne d'elle. Maintenant, je la reconnais aussi. Inès était la meilleure de toute l'école à la course. Mais que sait-elle des animaux ?

— Ça fait plaisir de te revoir, lui dit Clara. Je vais vérifier le stock de médicaments dans la réserve.

— Est-ce que tu as besoin d'aide ?

— Non, merci, j'ai l'habitude !

À ce moment, le docteur Gabriel, qui travaille avec Grand-mère, sort de son bureau.

— Salut, les filles ! Alors ? Comment s'est passé ce premier jour après deux longues semaines de vacances ?

Je grogne et Clara hausse les épaules.

— Affreux à ce point ?

Il éclate de rire et enfile son manteau.

— Vous serez gentilles de prévenir Doc'Mac que je retourne voir la vache qui a vêlé hier.

La veille, il a dû s'occuper d'une naissance assez difficile dans une ferme des environs. Le petit veau se présentait à l'envers.

— Inès, sais-tu où est Doc'Mac?

— Avec les chatons. Ils avaient des vers et ils ont aussi eu besoin d'un traitement anti-puces de choc. Berk!

Je m'apprête à aller retrouver Grand-mère quand j'entends un véhicule se garer bruyamment devant la clinique. Par la fenêtre je vois une femme descendre d'un pick-up. Son chien la suit en boitant. Il a un bandage à la patte avant droite.

Elle sonne. Tandis que je lui ouvre la porte, Inès se précipite devant moi.

— Puis-je vous aider, madame? dit-elle tout de suite.

— C'est bien ici, la clinique vétérinaire?

La femme a l'air paniquée. Son lévrier tremble comme une feuille.

— Oui, entrez! Votre chien semble frigorifié, dis-je.

Alertée par la sonnette, Grand-mère fait irruption dans la salle d'attente.

Elle nous salue très vite et se penche vers le lévrier.

— Quel est son problème?

— Il a mal à une patte, répond sa maîtresse.

— Venez avec moi, dit Grand-mère. Je vais l'ausculter!

Je les suis en salle d'examen. Au moment où je veux me laver les mains, je m'aperçois qu'il n'y a plus une goutte d'eau chaude.

— Grand-mère, j'ai l'impression que la chaudière ne fonctionne plus.

— Ah, je savais bien qu'on aurait dû la remplacer l'année dernière, soupira-t-elle. Va vite installer des chauffages d'appoint pour nos pensionnaires. Veille particulièrement aux chatons.

Clara nous rejoint au même instant et Grand-mère continue de distribuer ses ordres:

— Clara, aide Sophie à installer les radiateurs. Et dis à Inès d'appeler David… et le chauffagiste. Tu lui donneras les numéros.

Doc'Mac a déposé le chien sur la table et ôté son bandage. Alors qu'elle palpe la patte blessée, il se met à gémir.

— Depuis combien de temps souffre-t-il?

La femme secoue la tête.

— Une semaine, je pense. Je n'en suis pas certaine car ce chien n'est pas vraiment à moi.

Grand-mère fronce les sourcils.

— Je vais faire une radio. Allez, les filles, dépêchez-vous. Priorité au chauffage !

Je préférerais cent fois l'aider à soigner le lévrier, mais il ne faut pas que les animaux prennent froid, et encore moins les chatons.

Chapitre 2

· · · · · · · · · · · ·

— **N**ous allons avoir besoin d'au moins six lampes chauffantes, calcule Clara.

Je me précipite vers le placard.

— En voilà déjà quatre !

Nous entendons la sonnette et David fait son apparition.

— Hello, les filles. Brrrrr... On meurt de chaud dans cette clinique !

— Désolée, David, pas le temps de plaisanter, dis-je. Fonce voir Doc'Mac, elle t'attend en consultation.

Je vérifie l'état des lampes et on les emporte dans la salle où sont regroupés les chatons.

Pour se tenir chaud, ils sont blottis les uns contre

les autres. Sauf un, tout seul dans son coin. Avec sa grosse tache marron sur l'œil droit, on dirait un pirate !

— Le pauvre, s'attendrit Clara. Il grelotte de froid.

Elle le dépose contre les autres.

— Allez, petit, réchauffe-toi !

J'installe les lampes et Clara vérifie qu'elles sont assez haut. Il ne faudrait pas que les chatons puissent grimper dessus et se brûler. Dans les cages, il y a un lapin, un vieux chat gris et Bouly, le cochon d'Inde. Ses dents dépassent et les poils de son museau sont collés par la bave. Je le caresse du bout du doigt à travers les barreaux.

— Courage, Bouly ! Le magicien dentiste va t'arranger ça.

— Vite, dit Clara. Maintenant, il faut trouver deux autres lampes pour chauffer le chenil.

Elle court jusqu'à la réserve pendant que je fouille un placard. Quel bazar ! Tout un bric-à-brac me tombe dessus. Mais, surprise ! au fond, je déniche une cinquième lampe.

— J'en ai une ! crie Clara.

— Moi aussi !

Dans le chenil, il fait encore plus froid.

J'installe ma lampe et je vais saluer chaque chien.

— Hello, Cannelle! Salut, Biscotte! Alors, Domino, tu te sens mieux?

L'épagneul éternue et je lui caresse les oreilles.

— Il faut que je file, on a un lévrier à soigner. Il est vraiment mal en point, tu sais. À plus tard!

Domino penche la tête et me regarde avec de grands yeux tristes.

— Je te promets que je reviens!

Clara règle les lampes.

— C'est parfait comme ça, Clara! Viens vite, allons voir le lévrier!

Le lévrier est allongé sur la table d'examen. Sa patte est affreusement gonflée. Du pus s'écoule de plusieurs vilaines coupures. David le tient et sa maîtresse fait les cent pas. Comment a-t-il pu se blesser si gravement?

David est à ma place. «Pauvre chien! C'est moi qui devrais être à côté de toi pour te réconforter.»

— On l'emmène en chirurgie, les filles. Préparez-vous! Je vais avoir besoin de votre aide pour nettoyer ses plaies.

Grand-mère nous demande souvent de l'assister pendant les opérations, surtout quand le docteur Gabriel s'absente.

— David, peux-tu rejoindre Inès à l'accueil, s'il te plaît? Le chauffagiste ne devrait pas tarder.

— Pas de problème, Doc'Mac. J'y suis déjà!

Clara et moi lavons soigneusement nos mains avec un savon désinfectant et nous enfilons les tenues réservées au bloc opératoire.

Je prends la température du chien.

— Quarante et demi, Grand-mère…

— La fièvre élevée est due à l'infection, explique Doc'Mac à la maîtresse du lévrier. Il faut que vous sachiez, Roselyne, qu'il est peut-être trop tard pour le sauver…

À cet instant, je sais que ma grand-mère pense exactement la même chose que moi: «Pourquoi cette femme a-t-elle tant attendu pour nous amener son chien?»

— J'ai cru pouvoir le soigner avec une pommade antibiotique, dit-elle, très inquiète. Je n'imaginais pas que cela allait empirer à ce point.

Elle me fait de la peine, mais je plains surtout son chien!

Doc'Mac rase les poils de la patte du lévrier à la tondeuse électrique. Je tiens doucement mais fermement sa tête, car il essaie sans cesse de lécher ses plaies.

— Chuuut… Calme-toi…

La patte désinfectée, Grand-mère pose un cathéter pour une perfusion.

— Je dois traiter l'infection et faire très vite tomber cette fièvre.

Je caresse le beau pelage bronze du blessé.

— Tiens bon ! Sois sage…

— Clara, donne-moi une poche de solution antibiotique.

Doc'Mac injecte aussi un antidouleur au lévrier, qui sursaute et gémit.

— Comment s'appelle-t-il ?

— Pain d'Épice, me répond Roselyne.

J'ai l'impression qu'elle va éclater en sanglots.

— Est-ce qu'il va s'en sortir ?

— Pour l'instant, je ne peux pas me prononcer, lui dit Doc'Mac. Clara va vous reconduire dans la salle d'attente. Je suis désolée, mais les maîtres n'assistent pas aux opérations.

— Je comprends, murmure Roselyne.

Clara l'escorte et Grand-mère accroche les radios du chien sur le tableau lumineux.

— Ce pauvre animal a… une double fracture du radius droit. À quelques centimètres près, on risquait la fracture ouverte !

Elle pointe la radio avec son stylo.

— Regarde, l'os est fissuré dix centimètres sous l'articulation.

— Est-ce que Pain d'Épice a été renversé par une voiture ? demande Clara, de retour.

— Je ne crois pas. Je pense à une fracture de fatigue. Cela arrive après une course très rapide suivie d'une chute.

Pain d'Épice me lèche la main. «Étais-tu en train de courir ? Est-ce que tu es tombé ? Si seulement tu pouvais nous dire ce qui t'est arrivé !»

Inès entre soudain.

— Puis-je vous aider, docteur ?

Quel pot de colle ! Elle n'a rien à faire ici !

— Tu m'aides déjà beaucoup en t'occupant de l'accueil, lui répond Grand-mère. Retourne à la réception, s'il te plaît.

— Comme vous voudrez, Doc'Mac ! lance Inès avant de disparaître.

Grand-mère applique de la Betadine sur les blessures du chien. Inès n'aurait sûrement pas supporté tout ce pus et tout ce sang ! Il faut du temps pour s'habituer au travail dans une clinique vétérinaire.

— Ça ne me plaît pas d'endormir un chien avec une fièvre aussi élevée, dit Doc'Mac. Mais je n'ai pas le choix. Le nettoyage des plaies serait trop douloureux. Il va falloir que j'enlève la chair nécrosée. J'attendrai que l'infection soit sous contrôle pour suturer.

Elle emplit une seringue d'un liquide blanc opaque.

— Qu'est-ce que c'est? demande Clara.

— Du Propofol, un anesthésique à effet rapide. Je l'utilise toujours pour les lévriers. Ces chiens sont très sensibles aux anesthésies.

Lentement, le chien se détend. Je sens ses muscles se relâcher sous mes caresses.

Qu'est-ce qui se passe? Il n'est pas détendu... il est complètement immobile!

— Il ne respire plus!

Mon estomac se tord d'un coup. Immédiatement, Doc'Mac vérifie la coloration de ses gencives.

— Vite, Clara, le respirateur et un kit d'intubation! Il n'y a pas une seconde à perdre!

Elle introduit un tube dans la gorge du chien et le relie au respirateur. Elle lui envoie aussitôt plusieurs bouffées d'oxygène.

— Ça y est, Grand-mère! Il respire de nouveau, mais très faiblement.

Je sens que je vais pleurer. «Tiens bon, Pain d'Épice, tiens bon!»

Doc'Mac pousse un énorme soupir.

— Oui! Il reprend le dessus, mais il est passé trop près de la mort pour qu'on pratique une anesthésie générale. Je vais seulement endormir les chairs autour de ses blessures. Sophie, continue de vérifier ses constantes et alerte-moi s'il y a du changement.

«C'est bien, Pain d'Épice, continue comme ça…»

— Clara, gaze et coton, s'il te plaît! Pour ces fractures, je vais faire ce qu'on appelle un bandage Robert-Jones. Il faut qu'il soit assez épais pour soutenir les os, tout en nous laissant la possibilité de nettoyer chaque jour les blessures.

Grand-mère enveloppe d'abord la patte dans une couche épaisse de coton, puis l'entoure avec la gaze pour la maintenir en place. Elle écoute ensuite les battements du cœur de Pain d'Épice.

— Il devrait s'en sortir, mais il faudra le surveiller. Tant qu'il ne tousse pas pour l'enlever, on lui laisse le tube du respirateur. Vous devenez des vraies professionnelles, les filles! Clara, aide-moi à nettoyer tout ça.

Je caresse le chien encore et encore. On dirait que son pelage est en velours. Soudain, je vois à l'intérieur de l'une de ses oreilles un tatouage bleuté, très différent des tatouages habituels.

— Regardez. Je n'ai jamais vu ça… Je lis des chiffres et la lettre B.

Doc'Mac se penche et ajuste ses lunettes.

— C'est le tatouage des chiens de course, dit-elle. Porte-le en salle de convalescence puis nous irons parler à Roselyne.

Dès que nous entrons dans la salle d'attente, Roselyne se lève.

— Comment va Pain d'Épice?

Elle a l'air épuisée.

— Pour être sincère, il a failli mourir, dit Grand-mère. Il souffre de fractures de fatigue, qui se produisent habituellement quand un chien court vite et chute. Est-ce que Pain d'Épice est un chien de course?

Le visage de Roselyne change aussitôt d'expression.

—De course? Je... je n'ai jamais entendu parler de ça!

C'est étrange, elle semble effrayée tout à coup.

— Alors vous ne savez pas non plus à quoi correspond le tatouage bleu dans son oreille? insiste Grand-mère.

Roselyne pâlit.

— Non, non! Je ne connaissais pas ce chien avant la semaine dernière. Un homme l'a jeté d'un van juste devant chez moi. C'est tout ce que je sais!

Doc'Mac se tourne vers moi.

— Sophie, veux-tu bien préparer la facture? Il faut que j'organise mes dernières visites. Et n'oublie pas tes devoirs!

En passant devant Inès, Grand-mère la félicite:

— Tu as fait un travail formidable! Peut-être que la prochaine fois tu m'assisteras sur une intervention? Au fait, je ne crois pas t'avoir présenté ma petite-fille... Sophie! Sophie, voici Inès, notre nouvelle bénévole.

— On se connaît déjà, dis-je.

«Alors ce n'est pas une blague? Cette fille va revenir à la clinique?»

— Oh, j'adorerais vous aider à soigner un animal, docteur! s'enthousiasme Inès.

«Elle est beaucoup trop jeune pour ça! Je t'en supplie, Isabelle, rentre vite du Costa Rica!»

Chapitre 3

· · · · · · · · · · · · ·

— Voilà ! Tout va tenir dans ce placard, dit Clara. Elle a tassé quelques sacs de croquettes pour pouvoir ranger les lampes chauffantes. David referme vite la porte avant que tout ne dégringole. La chaudière s'est remise en marche quand le dernier patient quittait la clinique.

La salle d'attente est vide ; David enfile son gros blouson à capuche.

— Adieu, mesdemoiselles ! Sur mon fidèle destrier, je vais chevaucher vers le soleil couchant.

— Bonne chance pour galoper dans la neige, dis-je en lui ouvrant la porte.

Clara et moi, nous rions de le voir s'enfoncer dans la poudreuse.

Doc'Mac est de moins bonne humeur. Elle vient de retrouver une énorme pile de dossiers.

— Oh là là, j'ai encore tout ça à ranger, soupire-t-elle.

— Je m'en occupe si vous voulez, lui propose immédiatement Inès. Ma mère ne viendra pas me chercher avant une dizaine de minutes.

— Avec plaisir ! Tu es une perle, Inès !

« Mais pourquoi cette fille m'agace autant ? »

Pour préparer la facture du lévrier, je consulte son dossier et je m'aperçois qu'Inès n'a rien noté sur Roselyne : pas de nom, pas d'adresse. Quand je le lui fais remarquer, elle hausse les épaules.

— Elle n'a pas voulu me les donner.

— C'est étrange, mais cela attendra, intervient Grand-mère. Sophie, il est grand temps d'aller faire tes devoirs. Et ne m'attends pas pour dîner. Il y a des lasagnes dans le frigo.

Je pars en traînant les pieds.

— Ne te plains pas ! grogne Clara. Moi, j'ai un énorme exposé à finir sur le système électoral. Et je n'aurai pas le droit de revenir à la clinique avant de l'avoir terminé.

Mon chien Sherlock Holmes se lève et m'emboîte le pas.

— À bientôt, Sophie, me dit Inès. C'est super de

travailler avec toi. Et je t'ai vue à l'entraînement, tu es géniale au basket !

— Merci, merci, dis-je à contrecœur.

Je n'ai pas besoin d'une fan ! Et encore moins d'une fan qui tente de s'incruster à la clinique.

Mes livres de classe étalés sur la table du salon, je n'ai qu'une envie : allumer la télévision. Je préférerais regarder les infos, un jeu idiot ou même un dessin animé pour gamins, plutôt que faire mes devoirs ! Mon prof, M. Carlson, m'a conseillé de toujours commencer par le plus difficile. Pff... Première corvée sur ma liste : lecture d'un roman, *Le Lys de Brooklyn*. Je passe cinq minutes à fixer la première page ; les mots flottent comme des flocons. Mais, peu à peu, l'histoire de cette fille me touche et, sans m'en rendre compte, je termine mon chapitre. Bien. Maintenant, j'attaque mon cours d'histoire. Encore de la lecture ! Et, enfin, je peux passer au plus sympa : la préparation de mon prochain match de basket... Je dois imaginer une stratégie. Je pivote, je dribble, passe à Manon, elle me renvoie le ballon, un pas et... hop ! PANIER !

— Tes devoirs avancent, Sophie ?

Grand-mère vient d'entrer. Elle va se servir une part de lasagnes.

— Tu ne vas pas le croire : j'ai fini !

— Bien joué, ma grande.

C'est peut-être le moment d'essayer de la convaincre que les entraînements de basket ne m'empêcheront pas de faire mon travail à la clinique? Je n'ose pas, je me contente de demander:

— Est-ce qu'Inès a assez d'expérience pour s'occuper de l'accueil?

— Nous verrons. Cet après-midi, elle a nettoyé les cages du chenil si vite que je n'avais plus rien d'autre à lui faire faire. Et elle se débrouille très bien au téléphone.

Soudain, le visage de Doc'Mac s'assombrit.

— Ce lévrier est très mal. Je vais peut-être devoir amputer sa patte infectée.

Je me lève d'un bond.

— Je peux aller le voir?

— Oui, et préviens-moi tout de suite si son état s'aggrave...

En entrant dans la clinique, j'entends tousser. J'ouvre la porte de la salle de convalescence et je mets juste assez de lumière pour voir Pain d'Épice sans le réveiller. Il ne tousse pas. Il est toujours intubé et relié à des moniteurs. Sa respiration est rapide, mais régulière. L'électrocardiogramme confirme que son rythme cardiaque est correct. Il est si beau! On ne peut pas lui couper la patte!

J'entends encore tousser, c'est l'épagneul. Son nez coule et ses yeux semblent voilés.

— Qu'est-ce que je peux faire pour toi, mon vieux Domino?

Je le porte en consultation.

— Grand-mère! On a un patient, mais ce n'est pas Pain d'Épice...

— 39,5 °C ! Température trop élevée!

Doc'Mac ausculte les oreilles et écoute les poumons de Domino.

— Congestion au niveau des bronches. Sophie, tu peux me relire ses antécédents?

— Épagneul mâle de huit ans... Sinusite à quatre ans... Bronchite sévère à six et re-bronchite à huit!

— Ses vaccins sont à jour? Vérifie celui contre la toux du chenil.

Grand-mère palpe sa nuque.

— Oui, il est à jour.

— Parfait. La dernière chose dont j'ai besoin, c'est d'avoir mes pensionnaires infectés par la toux du chenil!

Je tiens Domino pendant que Doc'Mac lui prélève un peu de salive. Elle en dépose une goutte sur une lamelle de verre pour l'observer plus tard au microscope.

— Je vais devoir faire aussi des radios et quelques examens sanguins. Passe-moi son dossier. Il pourrait être en train de nous préparer une pneumonie. Il est assez âgé, il a pu prendre froid pendant que le chauffage était coupé. Toutes mes excuses, Domino !

Elle le grattouille entre les oreilles. Il adore !

— Antibiotiques, hammam, et tu seras sur pattes ! lui promet Grand-mère.

Aussitôt dit, injection faite.

— De quel hammam parles-tu ? Je sais que tu as une super clinique, mais quand même…

— Un hammam bricolé maison, Sophie ! Tu veux l'inaugurer ? Alors prends une serviette et porte Domino dans la douche, je te rejoins avec le matériel.

Une fois l'épagneul dans la cabine, Doc'Mac installe une drôle de machine qu'elle relie à l'arrivée d'eau chaude. Elle referme soigneusement la porte et, bientôt, Domino disparaît dans la vapeur. Sa respiration sifflante se calme peu à peu. C'est complètement endormi que je le ramène dans sa cage.

Je vais jeter un dernier coup d'œil à Pain d'Épice. Il doit se battre pour vaincre une infection pareille. J'espère qu'il ira mieux demain après vingt-quatre heures d'antibiotiques.

Demain, moi aussi, je vais me battre ! On joue contre le collège Washington, un match très important pour mon équipe. Mais ce qui m'inquiète le plus, ce ne sont pas mes adversaires... c'est Lise. Il faudra que je sois très forte, car je sais qu'elle va tout faire pour me déstabiliser sur le terrain.

• • • • • • • • • • • • • •

Chapitre 4

Ce matin, je me suis réveillée en pensant à Pain d'Épice. J'étais très inquiète. Grand-mère ne voulait pas que je le dérange, mais je n'aurais pas pu aller en classe sans l'avoir vu. Juste une petite seconde, je l'ai regardé dormir. Il rêvait sans doute, il bougeait à peine. Au moins, il était toujours en vie.

Je n'ai pas été très concentrée pendant les cours. Quand on a parlé du roman, j'étais assez intéressée, mais, dès la sonnerie, je n'ai repensé qu'au lévrier.

Maintenant, le stress monte... Basket! Je vais me retrouver face à Lise.

— Lise en pivot, Sophie... ailier! annonce William, notre entraîneur.

Il continue de distribuer les postes. Lise affiche un sourire triomphant.

C'est fou, ça! Pourquoi l'a-t-il remise au pivot? Pas pour me torturer, il est trop gentil pour ça.

Le collège Washington, c'est la seule équipe qui nous ait battues la saison dernière. Dès le coup d'envoi, ils prennent le ballon. Leur ailier remonte le terrain et tente une passe. Lise l'intercepte, fonce, bondit et marque un panier à trois points. Washington 0/Ambler 3. Il y a beaucoup d'élèves dans les gradins. Tous applaudissent Lise. Elle court se remettre en position.

— Il va falloir manger de la soupe pour en faire autant, demi-portion! me dit-elle méchamment en se plaçant derrière moi.

Elle n'a pas tort. On dirait que tout le monde grandit sauf moi. Avec mon petit mètre soixante, le panier me semble toujours aussi haut.

Mais Lise a de moins en moins de succès. Chaque fois qu'elle a le ballon, la joueuse qui la marque l'empêche de faire la moindre passe.

— À moi, Lise!

J'agite les bras, il n'y a personne devant moi.

— Envoie à Sophie! lui crie Manon.

— Lise! Qu'est-ce que tu attends? proteste William.

Je continue d'appeler, mais je réalise que ça ne

sert à rien : Lise ne me passera jamais le ballon. Elle préfère dribbler et tenter un tir impossible. Évidemment, intercepté !

Les supporters de Washington hurlent… Panier ! Ça grogne du côté d'Ambler. Et le même scénario se reproduit sans fin jusqu'à la mi-temps. Lise essaie systématiquement de tirer, même quand elle est bloquée. Et moi, je sautille sur place comme une sauterelle surexcitée. Le collège Washington engrange les points. Notre entraîneur perd son calme, il fait les cent pas sur la ligne de touche.

Washington 18/Ambler 3.

À la mi-temps, on se regroupe autour de la fontaine à eau.

— Lise ! tonne William. Joue en équipe ! Quand Sophie a le champ libre, fais-lui une passe. Je sais que tu es douée, mais, seul, on ne peut rien faire !

Lise est furieuse, mais elle ne répond pas.

L'entraîneur ouvre son carnet et vérifie ses notes.

— Sophie, tu changes de poste avec Lise. Manon, Julie, vous restez où vous êtes.

— Ce coach est complètement nul, grogne Lise quand nous retournons sur le terrain.

— Pourquoi tu dis ça ?

— Parce qu'on ne change pas les postes au milieu d'un match. C'est débile, il devrait le savoir !

Mon ancien coach n'était pas un amateur, lui. Il n'aurait jamais fait ça.

J'ai bien envie de lui rétorquer que le plus débile c'est de ne pas faire de passes à ses coéquipières, mais je me ravise. Mieux vaut me taire si je ne veux pas aggraver la situation.

Remise en jeu. J'ai le ballon. Dribble à travers tout le terrain, mon contre collé à mes jambes. Passe basse à Manon, juste au-dessus du genou de mon adversaire. Elle me la renvoie aussitôt, en passant sous son coude gauche, exactement comme je l'avais prévu. Le panier est devant moi, mais je n'ai aucune chance, mon adversaire est trop grande !

— Tire, Sophie ! hurle Manon.

Il faut que je montre de quoi je suis capable. Que je lutte comme Pain d'Épice pour sa guérison. Un magnifique lobe et le ballon tombe en plein dans le panier.

Les supporters hurlent, toute l'équipe se précipite pour me féliciter.

— Trop fort ! Tu es géniale !

Toute l'équipe, sauf Lise.

Elle se glisse derrière moi et chuchote :

— C'est la chance du débutant, demi-portion !

La chance du débutant ! Moi qui joue au basket depuis que je peux tenir sur mes jambes ! Le jeu reprend, mais je suis plus lente, plus maladroite aussi. Les joueurs de Washington visent juste. Chaque fois qu'ils s'emparent du ballon, ils marquent. Je n'entends plus que les cris de leurs supporters, le match est perdu.

— Désolée ! Hier, je n'ai pas pu venir t'encourager. Je devais aider quelqu'un en maths, me dit Clara. Comment s'est passé le match ?

On se dirige vers la cantine. À l'odeur, on dirait qu'aujourd'hui c'est hamburger. Pourtant, je n'ai pas très faim. Je n'ai pas digéré notre défaite.

— Assez mal, et je n'ai marqué que deux paniers.

— Mais c'est super ! me console Clara en me prenant par le bras.

— Oui, sauf qu'après j'ai été nulle tout le match. Et Lise a dit que si j'avais marqué, ce n'était que du bol !

— Elle veut te déstabiliser, c'est la guerre psychologique.

Je dépose mon sac à notre table habituelle et je pars remplir mon plateau. Nous avons à peine regagné nos places qu'Isabelle déboule comme une tornade.

— Ola, amigas !

Elle est la seule de tout le collège à apporter son repas... sans huile de palme, sans nitrates, sans colorants alimentaires. Elle sort de sa boîte à

déjeuner des bâtonnets de poivron vert et un sandwich tout raplapla, bien trop diététique pour être
mangeable.

— Je me suis éclatée au Costa Rica, annonce-
t-elle. On a nagé avec les tortues de mer. J'ai appris
une tonne de trucs sur leur rituel de ponte. Fran-
chement, Ambler ne m'a pas manqué une seconde !
Vous et la clinique, si, bien sûr. Alors ? Racontez-
moi ce que j'ai manqué.

Elle engloutit une grosse bouchée. Les tiges de
graines germées s'échappent de son sandwich.

— Ch'vous z'écoute !

— D'abord… Grand-mère a engagé une nouvelle bénévole, Inès Barbosa. Tu la connais, elle
était dans notre école primaire. Elle est encore en
CM2 !

Je ne peux m'empêcher de lever les yeux au ciel.

— Mais Doc'Mac dit qu'elle se débrouille bien
au téléphone, corrige Clara, toujours diplomate.

Ensuite je raconte les malheurs de Pain d'Épice,
ses fractures, ses blessures, et surtout comme il se
bat pour guérir.

— Le plus bizarre, c'est sa maîtresse : Roselyne.
Elle a refusé de nous donner son nom de famille
et son adresse. Elle avait l'air effrayée par quelque
chose. Tu l'as ressenti aussi, Clara ?

Mon amie hoche la tête. Au même moment, Isabelle salue Lise qui passe près de notre table.

— Viens t'asseoir avec nous! lui lance-t-elle.

Lise me regarde un instant et hésite.

— Allez, ne fais pas ta timide! insiste Isabelle.

Lise, timide? Voilà une blague qui ne me fait pas rire.

Lise s'assied et se sert un verre d'eau.

— Vous vous êtes déjà rencontrées? Lise... voici Sophie et Clara.

— On se connaît, dis-je froidement. Lise est dans l'équipe de basket.

Mon ennemie tente un demi-sourire.

— Saluuut... chantonne Clara, pleine de curiosité.

— Bon, Sophie, reprend Isabelle, continue de me parler du lévrier.

J'aurais préféré éviter d'évoquer la clinique devant Lise, mais Isabelle ne me laisse pas le choix.

— Grand-mère pense que Pain d'Épice pourrait être un chien de course, mais sa maîtresse n'a pas confirmé. Elle s'est même mise à paniquer dès que Doc'Mac a abordé le sujet.

— Les lévriers, j'adore! déclare Lise en lissant sa queue-de-cheval blonde. J'en ai un. Et avant que je l'adopte, il courait aussi sur les champs de courses. C'est le meilleur chien du monde.

— On dit pourtant que les chiens de course sont trop nerveux pour devenir des animaux de compagnie, objecte Clara. Le tien s'est habitué à toi ?

Lise prend une gorgée d'eau avant de répondre.

— Oui, il est très doux. Mais c'est vrai qu'il y a des choses à savoir. Souvent ces chiens n'ont jamais eu une vie normale. Ils n'ont pas l'habitude des rues et de la circulation. Tant qu'ils n'ont pas été dressés, on ne peut pas les laisser courir en liberté. Au début, Goal se sauvait tout le temps !

— Goal ! s'écrie Isabelle. C'est un nom marrant pour un chien !

— Merci. Oui, il est champion pour intercepter les ballons.

— Et ça, il pourrait l'intercepter ? dis-je en lançant ma serviette en papier roulée en boule de l'autre côté de la table, pile dans une poubelle.

— Panier !

Clara et Isabelle applaudissent, mais Lise se renfrogne.

Drrrrrriiiiiiiiing ! Sauvée par la sonnerie stridente du collège ! Je me lève d'un bond, je n'ai jamais été aussi heureuse de retourner en cours...

Chapitre 5

Samedi matin, Pain d'Épice a toujours de la fièvre, mais sa patte est moins gonflée. Je lui ai donné tout l'amour que je pouvais. J'ai veillé surtout à ce qu'il se repose. J'ai aussi promené Domino, bien emmitouflé dans un manteau canin, avec mon chien Sherlock. Les antibiotiques et les bains de vapeur commencent à faire effet. Ses crises de toux se sont calmées, il va beaucoup mieux.

S'il ne neige plus, il fait toujours un froid glacial. Il y a au moins trente centimètres de neige. Tous les jeunes d'Ambler doivent faire de la luge dans le parc. Non, pas tous… David dégage l'allée de la clinique. On peut vraiment compter sur lui.

Le vent me fouette le visage quand j'ouvre la porte.

— Je peux t'aider, David?

— Il est temps que tu le proposes, j'ai presque fini! dit-il en riant.

Il ôte ses gants et souffle sur ses doigts pour les réchauffer.

— En fait, je veux bien que tu m'apportes du sel pour les marches et l'allée. Oh, non! Oublie ça, dit-il en regardant sa montre. Il faut que je file, M. Quinn m'attend.

Il remet ses gants et grimpe aussitôt sur son vélo. Deux après-midi par semaine, David travaille au centre hippique de M. Quinn, en échange de ses cours d'équitation. C'est une vraie passion! Moi, j'ai mes chiens, et lui... ses chevaux.

Pendant que j'étale le sel sur le dallage gelé, un 4 × 4 doré se gare devant chez nous. Une grande femme en sort précipitamment, une serviette ensanglantée dans les bras. Elle est au bord des larmes.

— Aidez-moi! Aidez-moi! crie-t-elle.

— Entrez vite!

Je lui ouvre la porte et je l'accompagne en consultation. Grand-mère lève les yeux dès que nous entrons.

— Bonjour, je suis le docteur Macore, que puis-je pour vous?

— Mme West, se présente la femme d'une voix brisée. Missy, ma petite chatte, a été attaquée par le chien de ma voisine. Il l'a mordue ! Ç'a l'air très grave !

Grand-mère dépose la serviette sur la table d'examen puis elle l'entrouvre délicatement. J'en ai le souffle coupé. La fourrure du chaton est presque entièrement couverte de sang ! Il coule encore à flots d'une blessure à sa gorge. Doc'Mac saisit aussitôt une compresse et l'applique fermement.

J'ai un très mauvais pressentiment.

— J'ai eu tellement de mal à faire lâcher prise cet affreux lévrier ! s'écrie Mme West. Ma pauvre petite Missy, c'est épouvantable !

Elle ne parvient plus à retenir ses larmes.

Un lévrier ? Lise disait pourtant qu'ils étaient très doux !

Grand-mère appelle Inès par l'interphone :

— Tu peux m'apporter un nouveau dossier, s'il te plaît ? Et dis à Isabelle de préparer la salle de réveil et d'être prête à nous accueillir. Sophie, on passe en chirurgie !

— Est-ce que vous pouvez sauver Missy ? demande Mme West.

— Nous allons faire tout notre possible. Nous devons d'abord gérer son état de choc et stopper l'hémorragie. Cette morsure est très profonde.

Une artère a été touchée. Est-ce qu'elle a eu ses piqûres antirabiques?

— Oui! Elle a eu tous ses rappels!

Doc'Mac donne un antidouleur à Missy et installe une perfusion.

Inès est entrée avec un dossier, je lui dicte les informations à enregistrer:

— Missy, chat blanc, femelle, quatre mois, plaies multiples, perte de sang importante résultant d'une artère lacérée. En état de choc.

Inès semble tenir le coup malgré tout ce sang. Pas si mal pour une débutante!

— Merci, Inès, dit Grand-mère. Conduis maintenant Mme West dans la salle d'attente et continue de répondre au téléphone.

En salle d'opération, Doc'Mac branche Missy sous moniteur cardiaque. Heureusement que Clara n'est pas là. Elle aime tellement les chats qu'elle ne supporterait pas de voir Missy dans cet état-là! Grand-mère a rasé avec soin la peau autour des morsures. La plus impressionnante est à la gorge, mais il y en a une autre très profonde sur son dos.

— Pas de fractures, dit Grand-mère en l'auscultant délicatement.

Le chaton ne réagit même pas. Je nettoie ses plaies avec de l'antiseptique tout en maintenant toujours la compresse sur son cou. Comme Pain d'Épice, Missy ne pourra pas subir une anesthésie générale, elle est trop faible. Après une anesthésie locale, Doc'Mac tente d'interrompre l'hémorragie.

— Je vais devoir réparer l'artère, les muscles, et suturer...

À la fin de l'opération, Grand-mère pose un bandage.

— Missy a perdu trop de sang, dit-elle. Sophie, va chercher Socrate, il est du même groupe sanguin.

Je me précipite dans son bureau. Son chat est à sa place habituelle : vautré sur des dossiers. Je le ramène immédiatement dans la salle d'opération. Socrate a un sale caractère, mais il comprend tout de suite quand Grand-mère ne plaisante pas. Il accepte sans bouger qu'elle lui prélève du sang. Il n'y a que ses battements de queue pour montrer qu'il est furieux. Doc'Mac utilise une seringue spéciale qui empêche le sang de coaguler, puis elle l'injecte dans le cathéter de perfusion de Missy.

Les battements de cœur du chaton sont faibles et irréguliers. Grand-mère a le visage fermé ; moi aussi, j'ai peur.

— Courage, ma petite, tu peux t'en sortir...

Grand-mère appelle Isabelle pour qu'elle emporte Missy en salle de réveil.

— Viens, Sophie, allons parler à Mme West.

Dans la salle d'attente, Doc'Mac résume l'opération.

— Elle va guérir, docteur?

— Seul le temps nous le dira, madame. Certains animaux parviennent à surmonter un tel traumatisme… d'autres, non. Disons qu'il y a un espoir. Expliquez-moi maintenant comment Missy a été mordue par un lévrier.

— L'un des chiens de ma voisine a sauté dans notre jardin et attaqué Missy, sans aucune raison. Cette femme ne les contrôle pas. Ils se sauvent sans cesse de leurs cages. La semaine dernière, il y en avait encore un qui se traînait partout en boitant et en gémissant.

— Comment s'appelle votre voisine?

— Roselyne Drescher. Je ne la connais pas très bien, elle garde ses distances avec les gens.

Roselyne? Ambler est une petite ville, il ne peut pas y avoir plusieurs Roselyne propriétaires de lévriers!

Je veux en être certaine, alors je lui demande:

— Le chien qui boitait avait-il un pelage de couleur bronze?

— Oui, effectivement…

— Nous soignons ici un chien qui correspond à cette description.

Au même instant, Isabelle fait irruption dans la salle d'attente, les yeux emplis de larmes.

— Doc'Mac! Nous avons perdu Missy...

Mme West éclate en sanglots.

— Ma Missy!

Chaque fois, j'ai le cœur brisé. Je ne peux pas m'empêcher d'imaginer ce pauvre chaton entre les mâchoires du lévrier.

— Je suis désolée, madame West, dit Grand-mère. Croyez bien que nous avons tout tenté. Souhaitez-vous ramener chez vous le corps de la petite Missy?

Mme West hoche lentement la tête. Dans ses yeux, je lis une colère froide et intense.

— Ces chiens sont dangereux! s'écrie-t-elle, très en colère. Je vais demander l'euthanasie de celui qui a tué Missy. Si ma voisine refuse, j'irai au procès!

Quand elle repart, emportant son chaton enveloppé dans un linge, je me tourne vers Doc'Mac.

— Tu dis toujours qu'il n'y a pas de mauvais chiens, juste de mauvais maîtres... Je ne comprends pas, je croyais que les lévriers étaient vraiment gentils.

Incroyable! Voilà que je cite Lise, comme si elle était experte en quoi que ce soit!

— Grand-mère, il faut qu'on aille parler à cette

Roselyne. Il se passe quelque chose de louche, je le sens.

— Ce n'est pas une mauvaise idée, Sophie… Je vais demander au docteur Gabriel d'assurer la permanence. Inès, peux-tu rester un peu plus longtemps à la clinique ? Il pourrait avoir besoin de ton aide.

— Avec plaisir ! répond Inès.

Qu'elle est agaçante ! Toujours à s'agiter avec un grand sourire, on dirait un petit chiot surexcité !

Chapitre 6

· · · · · · · · · · · · ·

Et si ce n'est pas la même Roselyne? Et si c'est elle? Elle sera sans doute furieuse qu'on ait retrouvé sa trace. Grand-mère se gare devant le numéro 23 de la rue de Mme West. La maison est plus petite que les autres, il y a des petits sapins rabougris autour du porche. Une girouette en forme de chien est plantée dans l'allée. Des chiens aboient derrière la maison.

Je prends une grande inspiration. Un rideau bouge et bientôt la porte s'ouvre. C'est notre Roselyne, avec ses cheveux gris, ses yeux verts et le même air angoissé.

— Bonjour, dit Grand-mère.

Roselyne nous regarde l'une après l'autre et demande :

— Pain d'Épice va bien, docteur ?

— Oui, il va s'en sortir, mais nous ne sommes pas là pour ça. Pouvons-nous entrer un moment ?

Roselyne nous précède dans une petite pièce meublée de quelques chaises et d'un vieux canapé. Les murs sont couverts d'étagères qui croulent sous les trophées. Ils sont tous en forme de lévriers : des lévriers bondissants, des lévriers au torse fièrement bombé. Étrange, pour quelqu'un qui ne connaît rien aux courses de lévriers ! Et ça ne ressemble pas du tout aux récompenses des concours de beauté canins.

— Asseyez-vous.

Grand-mère se lance :

— Votre voisine, Mme West, est venue aujourd'hui à la clinique avec son chaton, Missy.

Roselyne se tortille sur sa chaise.

— Elle est morte, dis-je brutalement.

Le visage de Roselyne se fige.

— Oui, je sais, Mme West m'a téléphoné tout à l'heure, elle hurlait. Elle me menace d'un procès et dit qu'elle va faire euthanasier Tempête ! C'est un bon chien, il n'avait jamais fait de mal à un autre animal. Je ne sais pas ce qui lui a pris. J'essaie de bien surveiller mes chiens, mais il leur arrive de s'échapper.

— Est-ce que ce sont des trophées de courses de chiens?

Roselyne ne me répond pas, elle fixe le tapis. Elle n'ose plus nous regarder en face?

Puis, soudain, elle dit tout bas:

— D'accord, je le reconnais... Pain d'Épice et tous mes chiens sont d'anciens chiens de course. Tempête a dû s'imaginer de retour sur la piste en train de pourchasser le leurre.

Grand-mère soupire. Elle doit essayer de se calmer pour ne pas répondre trop sèchement.

— Il n'est pas rare qu'un animal entraîné à pourchasser un leurre mécanique s'en prenne à de petits animaux, dit-elle. Même une fois que sa carrière est terminée. Est-ce que Tempête avait déjà été en contact avec de petits animaux hors du champ de courses?

— Seulement avec le vieux chat de Mme West. J'ai su trop tard qu'elle avait aussi un chaton.

Moi, je n'arrive pas à rester aussi zen que Grand-mère!

— Combien de chiens avez-vous?

— Trois en ce moment, en comptant Pain d'Épice. Parfois j'en ai davantage, parfois moins.

— D'où viennent-ils ? Il n'y a pas de champ de courses par ici.

— Ma petite-fille a raison, intervient Doc' Mac. Les courses de chiens sont illégales en Pennsylvanie ! Roselyne, écoutez-moi... je veux seulement m'assurer qu'un drame ne se reproduira pas. Répondez-nous et ne nous obligez pas à vous signaler à la Société protectrice des animaux.

— Oh, non ! Je vous en prie, ne faites pas ça ! s'écrie Roselyne. Laissez-moi vous expliquer !

Elle se tasse sur sa chaise et reprend à voix basse :

— Il y a cinq ans, mon frère Manuel et moi avons racheté un champ de courses canines près de Bridgeport dans le Connecticut. Au début, cela m'a semblé une excellente idée. J'adore les chiens et, déjà toute petite, j'adorais les regarder courir. Ils sont si beaux ! Si élégants ! C'était un métier passionnant et très rentable. Et puis...

Elle s'arrête soudain.

— Continuez, Roselyne...

— J'ai commencé à me rendre compte que les chiens étaient traités comme des marchandises par leurs propriétaires. Et, peu à peu, j'ai fini par détester mon métier.

— Mais qu'est-ce qu'ils font aux chiens ? dis-je, même si j'ai peur d'entendre la réponse.

— Certains propriétaires sont des gens très bien, mais d'autres font courir leurs chiens au-delà de leurs forces. Et ils les abandonnent quand ils ne sont plus performants. J'en ai même vu qui leur faisaient prendre des diurétiques. Le chien perd beaucoup d'eau, devient plus léger et donc court plus vite! C'est interdit par la commission des courses, mais, pour certains, l'appât du gain est plus fort que tout.

— C'est honteux!

— Oui, j'en étais malade. Je n'en ai pas parlé à mon frère tout de suite, car j'avais peur de sa réaction. Je me suis occupée de moins en moins du champ de courses. Quand Manuel l'a compris, il est entré dans une colère terrible. Il a fini par se calmer et je n'ai jamais regretté ma décision.

Roselyne cesse de parler, elle attend nos réactions. Moi, je suis comme anesthésiée, mais je veux savoir la vérité. Les sourcils froncés de Grand-mère ne font plus qu'une seule ligne, un signe particulier des Macore.

— Alors d'où viennent vos trois chiens?

— J'ai supplié mon frère de m'amener certains chiens blessés que leurs propriétaires voulaient faire piquer. Il m'a envoyée balader, alors je l'ai menacé de tout révéler des pratiques sur son champ de courses: les diurétiques, les stéroïdes, la vente de chiens à des labos ! La commission des courses lui infligerait une amende colossale et sa réputation serait ruinée. Depuis ce jour-là, l'un de ses assistants m'apporte les chiens menacés. Je les recueille, je les soigne et j'essaie de leur trouver une nouvelle famille.

Tout à coup, Roselyne se lève.

— Laissez-moi vous présenter quelqu'un...

Et elle disparaît dans la cuisine. On entend une porte grincer et un grand lévrier blanc entre dans la pièce. Il zigzague jusqu'à moi et me donne de grands coups de langue sur les mains.

— Salut, toi !

— Je vous présente Tempête ! C'est mon grand amour. Malheureusement, c'est lui qui a attaqué Missy. Qu'est-ce qu'il va lui arriver, docteur Macore ? Si Mme West me fait un procès, est-ce qu'un tribunal ordonnera qu'on l'euthanasie ?

Grand-mère réfléchit avant de répondre.

— Mme West acceptera sans doute de ne pas aller jusqu'au procès si votre chien quitte cette maison. Je vais lui parler...

— Merci, docteur ! s'écrie Roselyne. Cela va me briser le cœur mais je préfère que Tempête vive, même loin de moi !

Chapitre 7

Dès mon retour à la clinique, je nourris Pain d'Épice. Sa température est redevenue normale. Je le fais marcher un peu ; il s'appuie comme il peut sur sa patte blessée. Doc'Mac dit qu'il ne risque plus l'amputation, mais qu'il boitera toute sa vie. Pain d'Épice veut que je lui lance le jouet en caoutchouc que je viens de lui acheter (je n'ai pas pu m'en empêcher !).

— Ravie que tu te sentes mieux, mon vieux, mais il est encore trop tôt pour que tu joues !

Je le remets dans sa cage et vais m'occuper des autres patients.

Isabelle a promené Domino et nettoyé le chenil, et David a préparé le matériel pour l'opération de

Bouly. On peut se reposer un peu dans la salle d'attente.

— J'ai beaucoup de peine quand je pense au lévrier qui a attaqué le chaton, dis-je. Je vous assure qu'il est gentil comme tout !

— C'est sa vie de chien de course qui a dû le traumatiser, me répond David. M. Quinn dit que les courses de chiens sont beaucoup plus dures que celles des chevaux, ils sont entraînés comme des machines.

Je me lève aussitôt pour utiliser l'ordinateur de l'accueil.

— Je peux peut-être trouver sur Internet quelques infos sur les lévriers.

Plusieurs sites de champs de courses font leur publicité, des sites d'éleveurs vantent les mérites et le pedigree de leurs champions, deux sites d'adoption pour lévriers dénoncent les mauvais traitements.

— Écoutez ça : « Le dressage des lévriers débute peu de temps après leur naissance. Sur les cinquante mille lévriers qui naissent chaque année, seuls vingt génèrent assez d'argent pour rester en vie jusqu'à l'âge de quatre ans. »

Je ravale ma colère et continue :

— « En attendant les courses, les chiens restent dans des cages d'un mètre carré. Blessés, on les force à courir en les bourrant d'antidouleurs. »

— C'est barbare ! s'écrie Isabelle.

— « Les lévriers atteignent leur vitesse maximale entre deux et trois ans. Quand ils cessent d'être performants, leurs propriétaires les abandonnent, les font euthanasier ou les vendent à des laboratoires. »

David secoue la tête, dégoûté.

— Ça me donne envie de vomir !

Un autre site m'apprend que les champs de courses sont légaux dans dix-huit États.

Moi, j'ai plutôt envie de pleurer.

— Heureusement que les courses de chiens sont interdites chez nous en Pennsylvanie.

— Il faut vraiment que les lois changent dans tout le pays, dit Isabelle.

Elle ressemble beaucoup à sa mère quand elle parle de la protection des animaux. Je la vois très bien reprendre ses activités quand elle sera adulte : Isabelle en mission pour sauver des dauphins d'eau douce d'une pollution fluviale, Isabelle expliquant aux enfants qu'il ne faut pas jeter les sacs en plastique qui finissent dans l'estomac des cétacés…

— Le frère de Roselyne a vraiment un cœur de pierre. Nous devrions le faire arrêter ! je m'exclame.

— Pour qu'un de ses acolytes le remplace aussitôt ? rétorque David. Ça ne changerait rien pour les chiens. Il faudrait plutôt réunir des preuves pour l'obliger à changer d'attitude.

Je continue mes recherches sur Internet. Une page donne la liste des pratiques interdites et punies d'amendes, comme tricher sur le poids d'un chien avant une course. Si nous pouvions surprendre les soigneurs de Manuel en train de faire quelque chose d'interdit ! David a pris la souris, il cherche autre chose.

— Lisez ça !

Il a trouvé un forum sur les chiens de course à la retraite.

Est-ce que les chiens de course peuvent devenir de bons animaux de compagnie ?

Bien sûr ! Et même des animaux très affectueux !

Peut-on promener un lévrier sans laisse ?

Pas toujours. Comme ils ont été conditionnés pour s'élancer dès l'ouverture des portillons, ils peuvent le faire avec n'importe quelle porte.

Peut-on laisser des lévriers avec de petits animaux ?

La plupart du temps, oui. Mais comme ils sont dressés depuis la naissance à poursuivre le leurre sur la piste, certains peuvent s'attaquer à des chats, des hamsters et d'autres petits animaux. Ils les prennent pour un lièvre mécanique. Pour éviter cela, il faut un nouveau dressage.

— La voilà, la solution! dis-je en me levant d'un bond. Grand-mère et moi allons chercher un dresseur pour rééduquer Tempête! Et le plus vite possible, pour que Roselyne lui trouve un nouveau foyer... loin de Mme West.

— Sophie, tu as toujours de super idées! me lance Inès.

Je ne l'avais même pas vue arriver.

— Ce dresseur pourra sans doute aider tous les autres lévriers, ajoute-t-elle.

En fin de compte elle n'est pas si mal que ça, cette Inès...

Grand-mère entre précipitamment dans la salle d'attente.

— Si l'un d'entre vous veut m'assister pour l'opération de Bouly, il ferait bien de se mettre en tenue. David?

— Non, je ne peux pas, Doc'Mac. Je travaille au centre hippique tout l'après-midi et... Catastrophe! Je suis déjà en retard!

Il attrape son blouson et file à toute vitesse.

— Et toi, Isabelle?

— Moi non plus, mes parents m'attendent. Nous avons une oie sauvage blessée par un vélo et on doit nous apporter quelques bébés hiboux.

— Très intéressant! s'exclame Grand-mère. Alors, Sophie, tu es volontaire comme d'habitude?

— Ouaip!

Je suis déjà en train d'enfiler ma tenue.

— Moi aussi, je peux vous aider, dit Inès.

Je ne lui réponds pas. Grand-mère va lui faire comprendre elle-même qu'elle est trop inexpérimentée pour une opération chirurgicale.

Mais Doc'Mac approuve d'un signe de tête.

— Oui, Inès, il est temps que tu acquières les connaissances basiques des procédures en salle d'opération. Ce cas sera un bon début. Ce n'est pas une urgence, je pourrai tout t'expliquer au fur et à mesure.

— Oh, merci! Merci, Doc'Mac!

Les yeux noirs d'Inès brillent d'excitation.

— Sophie, donne-lui des vêtements de bloc et montre-lui comment bien se laver les mains.

C'est un ordre parce que son regard ajoute: «Et surtout ne proteste pas!»

Me voilà en route pour la salle d'op, Inès à trente centimètres derrière moi comme un caneton suivant sa mère.

Bouly se tortille sur la table d'opération. Pauvre petit! Les dents lui sortent de la bouche. Il ne peut plus mâcher quoi que ce soit, il n'a plus que la peau sur les os. Doc'Mac a même attendu pour l'opérer qu'il soit requinqué à grands coups de perfusions de glucose.

Elle lui fait une injection de sédatifs.

— Juste de quoi éviter qu'il nous morde, explique-t-elle.

Il se détend et ferme les yeux.

— Vous voyez comme son museau est rouge et gonflé? poursuit Grand-mère. La malocclusion a provoqué cette dermatite. Nous allons la soigner, mais il faut d'abord lui raccourcir les dents.

Je tiens Bouly pendant qu'elle observe sa denture avec une mini lampe de poche.

— Trop épaisses pour une pince coupante classique, dit Grand-mère. Sophie, installe la fraise. Inès, prends ce marqueur. Tu vas faire des marques où il faut raccourcir, environ… ici!

Inès s'applique et demande:

— Pourquoi a-t-il une malocclusion?

— Cela peut être héréditaire, dis-je, ou dû à un mauvais régime alimentaire. Bouly n'a sans doute pas eu assez d'aliments qui usent les dents. Celles des rongeurs poussent en permanence. C'est pour ça qu'ils ont besoin de ronger pour les limer. Les castors, par exemple, rongent sans cesse du bois. Bouly aussi a besoin d'en avoir dans sa cage.

— Waouh! s'écrie Inès. Et qu'est-ce qui se passerait si ses dents continuaient de pousser?

— Incapable de s'alimenter, il finirait par mourir de faim.

Peut-être que ça va la choquer assez pour qu'elle arrête de poser dix questions par minute? Oui! Elle hoche la tête et me regarde installer la fraise de dentiste. Je la branche et je la donne à Grand-mère. Puis je maintiens les mâchoires de Bouly bien écartées pour que Grand-mère puisse passer encore et encore la fraise sur ses dents.

— Sophie, tu peux lui nettoyer le museau?

Je tamponne une compresse d'antiseptique sur la peau enflammée et j'applique une crème anti-biotique.

— Bouly aura une cure de vitamines, ajoute Doc'Mac en lui injectant de la vitamine C. Il aura d'autres soins dentaires et un changement radical de régime. Plus de laitues, plus de carottes! Les cochons d'Inde sont les seuls mammifères avec les humains à ne pas fabriquer de vitamine C. Il va falloir en ajouter dans son eau tous les jours. La carence en vitamine C aggrave la pousse anormale des dents.

Elle ôte ses gants.

— Bon! Maintenant, Sophie, tu l'emmènes en salle de convalescence. Inès et moi, on range la salle.

— Avec plaisir, Doc'Mac! s'écrie Inès.

Je n'ai jamais vu quelqu'un d'aussi enthousiaste à l'idée de faire du ménage!

Moi, après avoir déposé Bouly, je dois faire mes devoirs.

Et il faut que je réfléchisse au match de lundi. C'est notre dernière rencontre avec le collège Washington. Cette fois, pas question de laisser Lise me déstabiliser!

Chapitre 8

Le public est tendu. Je vais bondir dès que le coup de sifflet retentira dans le gymnase. Trop de pression. Je ne peux plus parler, j'arrive à peine à expliquer ma stratégie à mon équipe. Pères, mères, frères, sœurs, élèves du collège Washington ont envahi les gradins. Du côté d'Ambler, il y a beaucoup de garçons, dont David. Mais nos supporters ne font pas le poids face à la foule venue acclamer nos adversaires. Et à les entendre, ils n'ont aucun doute sur le résultat !

Notre entraîneur m'a de nouveau nommée pivot, Lise est verte de rage. Grand-mère me fait des petits signes de loin. Bien sûr, il a fallu qu'Inès l'accompagne ! Et ça m'agace de les voir picorer le même pot de pop-corn. Ce n'est plus une bénévole de la clinique, c'est sa meilleure copine !

Ne te laisse pas déconcentrer, Sophie Macore... Secoue-toi !

Ambler a la mise en jeu. Manon passe à Lise, elle dribble dans un bruit de tonnerre et remonte tout le terrain. Elle laisse dans les choux la défense de Washington et marque direct. Droit dans le panier ! Rapide comme un golden retriever qui chope la balle au bond ! Nos supporters hurlent ; je reconnais qu'elle est super douée. Mais ça ne marche pas longtemps. Maintenant, la défense de Washington la marque de près.

Manon, Julie et moi, on l'appelle à tour de rôle :

— Lise ! Je n'ai personne en face !

— À moi, Lise !

Mais elle reste plantée là, butée. Et ce qui doit arriver arrive ! Quand elle se met à dribbler, le ballon est aussitôt intercepté.

Nos fans grognent. Inès se prend la tête à deux mains et Grand-mère fronce les sourcils. Mais tout à coup, miracle ! Manon intercepte le ballon et me fait une passe. Je dribble, Julie à mes côtés. Une fille immense me poursuit.

— Sophie, Lise appelle à droite !

— Fais-moi la passe, demi-portion ! hurle Lise.

Pff, même pas à hésiter entre ces deux-là, je

passe à Julie. Elle attrape, me renvoie et nous arrivons à semer comme ça les deux adversaires qui nous suivent. Sous le panier, Lise, prête à recevoir le ballon, continue de crier :

— Mais qu'est-ce que tu attends, demi-portion ?

Elle rêve si elle croit que je vais me laisser appeler comme ça sans réagir ! Jamais elle n'aura le ballon ! Je pivote, la défense me colle, je ne sais plus quoi faire et l'arbitre siffle la faute. J'ai gardé le ballon en main trop longtemps ? Non ! C'est Lise qui n'aurait pas dû rester sous le panier. Elle devient écarlate et quitte la zone en tapant des pieds.

À partir de ce moment, Washington prend possession du ballon. Ils s'y accrochent comme des sangsues. Les paniers s'enchaînent, nos supporters se découragent. À l'autre bout des gradins, c'est la folie : les gens sifflent, hurlent et… se moquent de nous. Le dos voûté, Grand-mère et Inès ne mangent plus de pop-corn. Je regrette vraiment qu'elles soient venues assister à cette débâcle. Heureusement, l'arbitre siffle la mi-temps. On rejoint notre banc de touche en soufflant.

— Lise, tu dois donner l'opportunité de marquer à d'autres joueurs ! proteste notre entraîneur. Est-ce que tu comprends que tu ne peux pas camper sous le panier ?

Elle hoche la tête. Il lui rappelle pour la millième fois de jouer plus collectif puis se tourne vers moi. Moi aussi, je prends un sermon pour avoir refusé de passer le ballon à Lise.

— Vous deux, quel que soit votre problème... vous devez le laisser aux vestiaires ! Je vous répète que nous formons une équipe.

Il jette un coup d'œil à sa feuille de jeu et crie :

— Alicia, pivot... Katia, ailier.

Eh ! Mais ce sont nos postes, ça !

Les filles courent se mettre en place et notre coach ajoute :

— Vous deux, sur le banc de touche ! Cela vous donnera le temps de réfléchir.

Comment vais-je expliquer ça à Grand-mère ? Que va penser de moi Inès ? Lise s'essuie le visage avec une serviette.

— À qui tu vas refuser de faire des passes maintenant que t'es sur le banc, hein, demi-portion ?

Je vais m'asseoir le plus loin possible d'elle.

— Je te fais exactement ce que TU me fais !

— Reviens sur terre, rétorque-t-elle. C'est toi qui veux jouer au basket alors que tu es naine ! Et c'est encore toi qui as intrigué pour me voler mon poste de pivot !

— TON poste ? Mais je jouais pivot bien avant que tu ne mettes les pieds dans cette école.

J'ai presque crié en serrant les poings.

Quelques minutes plus tard, l'entraîneur nous fait signe de le rejoindre.

— Reprenez vos places ! On se dépêche !

Oui ! Je suis de nouveau pivot ! Tout de suite, j'intercepte une passe transversale. J'ai l'impression d'avoir des réacteurs sous les pieds. C'est ma rage contre Lise qui me fait courir si vite. J'arrive dans la zone, je saute et PANIER ! Les supporters d'Ambler explosent.

À la remise en jeu, j'attrape encore le ballon. Manon et moi, on enchaîne les passes. Réception parfaite ! Je saute aussi haut que les géantes d'en face, deuxième panier !

Sur les gradins, on tape des pieds... Boum, boum, boum ! J'adore ce bruit !

Égalité : Washington 38/Ambler 38.

— Bien joué, Sophie ! me crie Zoé, notre capitaine.

— Refais-nous le même ! m'encourage Manon.

Je dribble le long de la ligne, je pense au lévrier blessé, mon porte-bonheur. «Allez, Sophie Macore ! Sprinte vers la victoire, comme Pain d'Épice !»

Grand-mère et Inès sont debout sur les gradins. J'ai mon propre fan-club ! Deux pom-pom girls pour le prix d'une !

Je pousse un cri de guerre, je saute et tire. PANIER!
J'ai l'impression de vivre la scène au ralenti. Le
panneau annonce 40 pour Ambler. C'est magique!
La foule hurle.

Il y a encore de part et d'autre quelques tenta-
tives, mais avant même que je m'en rende compte,
le match se termine. En chantant, le public d'Ambler se déverse sur le terrain. Tout le monde se
tape dans les mains. Mes équipières me portent
sur leurs épaules et scandent: «Sophie! Sophie!»

— C'est ma petite-fille! C'est ma petite-fille!
répète Grand-mère.

Elle vient m'embrasser dès qu'elle peut m'approcher et m'offre des roses rouges.

— Je suis tellement fière de toi!

— Mieux qu'une professionnelle! renchérit
Inès.

— Tu sais que tu n'as pas meilleure fan qu'Inès,
me dit Doc'Mac. Je me suis cassé la voix à essayer
de crier plus fort qu'elle.

Je sens une main se poser sur mon épaule. C'est
Manon. Elle crie pour se faire entendre:

— Sophie, viens avec nous. Le coach va faire un
discours et ensuite on ira à la pizzeria. Tu vas être
la star!

Je serre Grand-mère dans mes bras et je suis
Manon.

— Merci d'être venue, Grand-mère! Toi aussi, Inès!

Mais, peu à peu, je sens mon moral redescendre en flèche. Lise ne fête pas la victoire avec nous au milieu du terrain. Elle doit déjà être dans les vestiaires. Jamais elle ne me pardonnera d'avoir été celle qui a marqué trois paniers. Ça va encore être ma faute si elle n'a pas été portée en triomphe. Je sens qu'elle va me le faire payer très cher.

Après le discours du coach, je vais prendre ma douche. Quand j'en sors, Lise me dit, comme si elle s'en moquait :

— Tu as eu du bol aujourd'hui, rien de plus.

Puis elle feint de s'éloigner et ajoute :

— Ah oui, j'oubliais... Demain, Isabelle et moi, on va travailler sur une affiche de sensibilisation à la situation des lévriers. On la fera chez elle. Et puis on l'affichera la semaine prochaine au collège.

Elle me toise d'un air triomphant.

— Tu t'en moques, des chiens, Lise! Tout ce que tu veux, c'est me piquer un sujet qui me tient à cœur.

— Pas du tout! Je m'intéresse beaucoup à eux. La preuve, c'est que j'en ai un.

— Ça ne fait pas de toi quelqu'un de compétent pour les défendre. Je parie que j'ai fait plus de recherches que toi.

Je n'arrive pas à croire que c'est moi qui parle ainsi! Je suis tellement en colère que je dois être écarlate.

Lise reprend avec son ton de je-sais-tout:

— Comme dit ton amie Isabelle: une grande cause n'appartient à personne.

Cette fois, je me contente de claquer la porte de mon casier. Mon équipe m'attend pour fêter la victoire et Lise a réussi à tout gâcher. Si seulement les humains pouvaient se comporter aussi bien que les chiens. Pas de manipulations, pas de revanches, pas de petits plans mesquins ni de stratégies! Ils vivent juste le présent. Maintenant que je repense au match, je doute. Et si mes trois magnifiques paniers n'étaient qu'un immense coup de chance?

Reprends-toi, Sophie Macore!

Chapitre 9

Mardi matin, je me lève très tôt. J'enfile aussitôt un jean et une marinière et je descends l'escalier en courant. Grand-mère est en train de téléphoner. Elle règle les derniers détails de sa conférence sur les nouvelles techniques vétérinaires qui aura lieu ce week-end dans le Connecticut. Dans le Connecticut! Mais c'est là qu'est le champ de courses de Manuel Drescher! Nous devons y aller. Il faut que je trouve un moyen de convaincre Doc'Mac de m'emmener avec elle. Comment lui demander? «Oh, tu sais, j'ai toujours rêvé de tout savoir sur les progrès des dernières techniques vétérinaires... et... euh... ça serait aussi l'occasion de faire un tout petit détour de rien sur un champ de courses de lévriers...»

Aucune chance que ça passe!

Pas le choix, il va falloir lui demander sans ruser.

Je rassemble mes livres (et mon courage) et j'entre dans la cuisine. L'odeur de café me saute aux narines.

— Bonjour, Sophie! Déjà debout? dit Grand-mère en raccrochant.

Elle se verse une tasse.

— Oui, je voulais relire un cours. J'ai un contrôle aujourd'hui.

Elle ne va jamais me croire. Depuis quand je révise si tôt le matin pour un contrôle?

— C'est formidable, Sophie. Tu travailles vraiment bien cette année. Veux-tu des céréales?

— Oui, merci.

Il faudrait que je me lance, mais elle continue de parler:

— Et je suis très fière de tes efforts au basket. Tu te donnes à fond.

Elle me regarde. Je sais qu'elle a un sixième sens. Elle a compris que je n'étais pas aussi joyeuse que j'aurais dû après le match. Et, sans réfléchir, me voilà en train de tout lui raconter! Lise, son obsession de la compétition, sa jalousie parce que je joue pivot, le surnom qu'elle me donne et son refus de me faire des passes...

— Je ne peux pas savourer ma victoire, cette fille gâche tout !

Grand-mère pose sa tasse.

— Je sais que les jeunes filles comme Lise ne sont pas faciles à vivre. Des petites terreurs comme elle, il y en a plein les cours de récréation. Mais elles ne sont pas si mauvaises qu'on peut le croire. La plupart du temps, elles manquent seulement de confiance en elles. Bien sûr, je ne te demande pas d'accepter son attitude, mais essaie de te mettre à sa place un instant. Elle est la petite nouvelle d'un collège inconnu et elle croit avoir des choses à prouver.

Je hoche la tête. J'ai trop de problèmes en ce moment. Je déballe tout ! Je demande même à Grand-mère si Inès va rester longtemps à la clinique.

— Pourquoi ? Tu ne penses pas que c'est une bonne recrue pour notre petite équipe ?

— Si, si... mais tu as dit que tu avais besoin d'elle parce que nous étions en sous-effectif. Maintenant, Isabelle est revenue et j'ai presque terminé la saison de basket.

Je joue avec mes céréales du bout de ma cuillère.

— Et elle est un peu jeune pour les chirurgies, tu ne trouves pas ?

Le visage de Grand-mère se durcit soudain.

— Inès aime travailler à la clinique et elle fait très bien son travail. Elle est très utile ici. Depuis que Zoé est en Californie, nous avons besoin d'une aide supplémentaire. Allez, Sophie! Je sais que tu es assez forte pour supporter la pression que te fait subir cette Lise et accepter Inès.

Grand-mère se lève pour déposer son bol dans l'évier puis elle me sourit.

— Toi, tu étais haute comme trois pommes quand tu as commencé à la clinique. Et bien plus jeune qu'Inès quand tu m'as assistée au bloc pour la première fois.

— Oui, mais j'avais déjà une passion pour les animaux.

— Inès aussi.

— C'est vrai qu'elle ne s'en est pas mal sortie avec Bouly.

— C'est bien de le reconnaître, Sophie. Ah, j'allais oublier... tu sais que je participe samedi à une conférence dans le Connecticut? Est-ce que tu veux dormir ce soir-là chez l'une de tes amies?

Saisis ta chance, Sophie Macore! C'est le moment ou jamais!

— Est-ce que je peux t'accompagner, Grand-mère? Je voudrais aller voir le champ de courses des Drescher. Je dois me rendre compte par moi-même des conditions de vie des chiens. Ce n'est pas très loin de ta conférence. Je peux faire tous mes devoirs vendredi et comme je n'ai pas d'entraînement ce week-end...

— Holà! Respire! m'interrompt Grand-mère en levant une main comme si elle faisait la circulation. Tu es trop jeune pour aller sur un champ de courses.

— S'il te plaît! Si on remarque quelque chose d'illégal, on pourra prévenir les autorités ou faire pression sur le frère de Roselyne pour qu'il arrête. Isabelle, David et moi, on a fait des recherches sur Internet. On pourrait lancer un programme d'adoption là-bas. Et tu pourrais nous recommander un dresseur pour réadapter les chiens.

Grand-mère lève encore la main.

— Je vois que tu as beaucoup réfléchi. Laisse-moi le temps de décider. Et file, maintenant, tu vas rater ton car!

Inutile d'insister. Je sais bien qu'il est impossible de faire changer d'avis ma grand-mère. Et encore moins si elle estime que c'est dangereux pour moi. Jamais, jamais elle ne me laissera aller sur le champ de courses!

Après les cours, j'ai promené Pain d'Épice pour la dernière fois. Roselyne viendra le chercher dans l'après-midi. Vif et joyeux, il croquait la neige et reniflait les buissons givrés. Je suis heureuse que sa patte soit guérie, et triste de le voir partir.

— Mon cher Pain d'Épice, il faut que je demande conseil à ta maîtresse sur la meilleure façon de parler à son frère. Si j'ai une toute petite chance d'aller là-bas, il ne faut pas que je la gâche. Hors de question de vous laisser tomber, toi, Tempête et tous les autres. Je te le promets !

Il me lèche la main. Je lui donne de l'eau fraîche avant de le remettre dans sa cage. Ensuite, je me rends à l'accueil pour noter mes dernières observations sur son dossier.

Et là, Inès m'attend avec la bannière de notre équipe !

— Tu me la dédicaces, s'il te plaît ?

— Si tu veux, dis-je en haussant les épaules.

Grand-mère sort au même moment de son bureau.

— Inès, tu peux aller me chercher Bouly ? Il faut que je lui fasse son injection de vitamines.

— Tout de suite, Doc'Mac !

Et elle sort en brandissant la bannière.

—Toi, Sophie, quand tu auras terminé tes dossiers, je voudrais que tu m'amènes Domino pour ses antibiotiques.

Je n'ai pas le courage de lui reparler du champ de courses, mais j'insiste pour le dresseur. Elle trouve que c'est une excellente idée et promet de passer quelques coups de téléphone.

La porte sonne et Isabelle entre en sifflotant. Sous sa doudoune, elle porte un tee-shirt de la société de protection des grands ducs.

— Hé, Sophie... devine un peu ce qui m'arrive?

Tout le monde a l'air si joyeux aujourd'hui... Tout le monde sauf moi.

— Tu sais que je connais Lise, la fille de ton équipe de basket?

Oh oui, et j'aimerais bien l'oublier, celle-là.

— Elle veut organiser un groupe de sauvetage des lévriers. Comme nous! C'est génial! Les grands esprits se rencontrent, non?

Je sens la colère monter d'un coup.

— Je vais t'expliquer pourquoi! Elle est furieuse parce que je lui ai soi-disant volé son poste dans l'équipe de basket. Alors maintenant elle essaie de me voler mon idée. Elle se venge, c'est tout!

— Non, elle n'est pas si mesquine, proteste Isabelle.

— Tu serais surprise! Et c'est quoi, son idée?

— Nous devons nous retrouver au collège pour en discuter. Tu veux te joindre à nous?

« Même pas en rêve! » Isabelle ne comprend rien, elle se laisse manipuler par Lise.

— Travailler avec elle? Jamais!

Isabelle passe la main dans ses longs cheveux et s'éloigne.

— Il y a trop de mauvaises ondes pour moi dans cette pièce, dit-elle d'un ton glacial. Arrête de ne penser qu'à toi, pour une fois... et pense plutôt aux lévriers! J'y vais, j'ai du travail.

Et elle disparaît dans le couloir de la clinique. Elle n'a pas entendu Roselyne sonner. C'est l'heure, elle vient chercher son lévrier.

Isabelle est fâchée et je vais devoir dire adieu à Pain d'Épice. Quel après-midi pourri!

Chapitre 10

· · · · · · · · · · · · ·

Je caresse Pain d'Épice et je lui mets sa laisse.

— Courage, mon tout beau! Roselyne va être très fière de toi!

Ses griffes cliquettent sur le carrelage. Je traîne tant que je peux sur le chemin de la salle d'attente.

— Bonjour, Sophie! Salut, Pain d'Épice!

Roselyne avance d'un pas hésitant. On dirait qu'elle a peur que son chien ne l'ait oubliée.

Mais Pain d'Épice se précipite vers elle et lèche tout de suite sa main tendue.

— Vous auriez dû le voir jouer dans la neige! s'écrie Inès. Jamais on ne penserait qu'il a été si malade!

«Inès, ne te mêle pas de toutes les conversations...»

Doc'Mac vient donner les dernières instructions :

— Ne le laissez pas courir plus de dix minutes par jour pour commencer. Assurez-vous qu'il ne prenne pas froid. Et veillez à sa nourriture. Pain d'Épice doit rester mince car sa patte ne pourrait pas le porter.

Roselyne hoche la tête à chaque conseil.

— Je voulais aussi vous dire, continue Grand-mère, que j'ai parlé à l'un de mes collègues, le docteur Haverford. C'est un vétérinaire comportementaliste très doué. Et il a l'habitude des lévriers.

Roselyne sourit enfin.

— Il accepte de travailler avec Tempête.

— C'est merveilleux ! s'écrie Roselyne en prenant Grand-mère dans ses bras.

— L'idée vient de Sophie. Et si vous vous engagez à ne pas le garder, Mme West laissera tomber les poursuites.

— Oh, merci mille fois !

Et là, c'est moi qu'elle prend dans ses bras !

— Sophie, docteur Macore, comment puis-je vous remercier ?

— Promettez-nous de bien vous occuper de Pain d'Épice et de vérifier vos clôtures ! Évitons d'autres évasions, ajoute Grand-mère en souriant. Voici le numéro du docteur Haverford.

Elle tend une carte de visite à Roselyne puis elle sort un flacon de la poche de sa blouse.

— Une cuillère à soupe chaque jour. C'est un complément alimentaire très riche en sels minéraux, votre lévrier en a besoin pour renforcer ses os.

Roselyne remercie encore, noue son écharpe et entrebâille la porte. Pain d'Épice se précipite dehors pour renifler la neige.

— Je vais les aider, dis-je en enfilant mes bottes.

Je porte la couverture et les jouets de Pain d'Épice jusqu'à leur voiture.

— Est-ce que je peux vous parler une minute, Roselyne?

— Oui, bien sûr. Monte, il fait si froid!

Pain d'Épice renifle mon épaule. Je cherche par où commencer.

— Ma grand-mère va intervenir dans une conférence pas loin de Bridgeport dans le Connecticut…

— Oh!

— Et j'espère pouvoir aller avec elle sur le champ de courses de votre frère. Pour essayer de le convaincre d'ouvrir un service d'adoption des lévriers en fin de carrière. Comment dois-je lui parler ? Qu'est-ce que vous me conseillez ?

Pourvu qu'elle ne me dise pas de tout laisser tomber.

— Manuel peut être très brusque et il ne tolère pas les critiques. Tu es plus courageuse que moi, Sophie, soupire-t-elle. Je dirais que ta meilleure chance est de lui montrer ce qu'il a à y gagner. Prouve-lui que ça donnera une excellente image de son champ de courses. Tu peux aussi jouer la carte de la morale, Manuel aime penser qu'il est un type bien.

Elle sort un carnet de son sac. Elle me dessine un plan pour arriver là-bas. Quelques explications, puis elle me tend le papier. Elle garde un moment ma main dans la sienne.

— Bonne chance, Sophie, et surtout tiens-moi au courant.

Pain d'Épice est roulé en boule derrière son siège, il doit se sentir déjà chez lui.

— Au revoir, mon tout beau !

«Promis, je ne te décevrai pas.»

Je suis en train de nourrir nos pensionnaires quand la sonnette de la porte retentit encore. Pas le temps ! Inès peut bien s'en occuper, elle m'appellera si elle a besoin de moi.

Soudain, une voix familière me fait dresser la tête. Où l'ai-je entendue?

Je vais jeter un coup d'œil dans la salle d'attente... Comment ose-t-elle mettre les pieds ici?

Lise a les yeux rouges et bouffis. Elle porte son chien dans ses bras.

— Goal a avalé quelque chose! s'écrie-t-elle. Il s'étouffe! Il est tout crispé! Vite, vite, mon vétérinaire habituel est en vacances. Aide-moi, Sophie, s'il te plaît!

J'appelle Grand-mère et j'emmène aussitôt Lise en consultation. Grand-mère comprend en un clin d'œil la situation. Lise a beau être mon ennemie, son chien a besoin de nous. Je l'aide à déposer Goal sur la table. Difficile de le maintenir en place, il griffe la plaque métallique, il se débat pour s'échapper.

— Qu'est-ce qu'il a, docteur Macore?

Le lévrier est soudain agité de spasmes violents, ses yeux se révulsent. Lise est au bord de la crise de nerfs.

— Nous serons bientôt fixées, dit Grand-mère.

— Je peux vous aider? demande Inès.

Une fille si jeune pour un cas si grave, c'est vraiment la dernière chose dont nous ayons besoin!

— Bien sûr, sors un nouveau dossier, dit pourtant Grand-mère.

Elle ausculte Goal avec son stéthoscope et s'inquiète :

— Son rythme cardiaque est infiniment trop rapide ! Tu as dit qu'il avait mangé quelque chose ?

— Oui, des chocolats. Une boîte entière ! répond Lise en reniflant. J'ai retrouvé la boîte déchiquetée sur le tapis.

— Ce peut être ça. Les chiens ne peuvent pas assimiler la théobromine, une substance chimique que l'on trouve en forte dose dans le chocolat.

— Est-ce que vous pouvez faire quelque chose, docteur ?

C'est étrange de voir Lise en pleurs.

— Dans un premier temps, je dois empêcher qu'il ait d'autres convulsions et faire baisser son rythme cardiaque. Ensuite, il faudra éliminer tout ce chocolat. Nous allons devoir faire vite.

Grand-mère fait aussitôt une injection de sédatifs à Goal ; je le tiens fermement.

— Calme-toi, tout va bien, mon bonhomme...

Lise lui caresse les pattes.

— Sophie va t'accompagner à l'accueil, lui dit Doc'Mac. Je te promets que ton chien est entre de bonnes mains. Mais c'est la règle, tu ne peux pas assister à nos soins.

À peine dans la salle d'attente, Lise s'effondre dans un fauteuil.

Vas-y, dis-lui quelque chose…

Le silence devient pesant, je finis par repartir sans un mot.

Inès dépose sur un chariot le matériel que lui demande Grand-mère.

— Entonnoir… tube gastrique… Oui, c'est ce long tuyau transparent sur l'étagère. Bien! Maintenant, Sophie, dépose le chien dans la baignoire, je vais lui administrer un émétique.

— Un émétique? répète Inès.

— Un vomitif, si tu préfères. Tu vas bientôt comprendre l'intérêt de la baignoire!

Doc'Mac met quelques gouttes dans les yeux de Goal.

— L'effet va être très rapide.

Et presque aussitôt, le lévrier se met à vomir des tonnes de chocolat.

— Inès, tu veux toujours m'aider? demande Grand-mère. Cela risque d'être très salissant.

— Ça n'a pas d'importance, Doc'Mac.

Je reconnais qu'elle m'impressionne. Elle fait un super bon boulot pour une débutante!

Doc'Mac lui tend un flacon.

— C'est du charbon actif. Les émétiques ne suffisent pas à tout retirer de l'estomac. Le charbon va absorber ce qui reste.

Goal halète, complètement épuisé. Je le caresse pour le rassurer.

— C'est dur, hein? Ne t'en fais pas, tu te sentiras bientôt mieux.

Grand-mère tend l'entonnoir à Inès et je prends le chien à bras-le-corps pour qu'elle puisse lui écarter les mâchoires.

— À toi de jouer, Inès!

Goal tousse, s'étrangle, essaie de recracher, mais finit par avaler.

— Bon travail! nous félicite Doc'Mac. Tu as eu beaucoup de cran, Inès. Dans quatre heures, on renouvellera l'opération et je contrôlerai son taux de théobromine.

Elle retire le tube, Goal secoue la tête. Il éternue et lèche le bras d'Inès. Elle a été parfaite! Grand-mère prépare déjà d'autres instruments.

— Sophie, on le met sous perfusion. Il a perdu beaucoup d'eau, il risque la déshydratation.

La perf installée, Grand-mère nous regarde en souriant.

— Viens, Sophie. Allons expliquer à Lise ce qui s'est passé. Toi, Inès, tu peux emmener le patient en salle de repos.

Dès qu'elle nous voit entrer dans la salle d'attente, Lise se lève.

— Est-ce qu'il va bien, docteur?

Grand-mère commence à raconter et je prends le relais :

— Nous pensons qu'il s'en est sorti, mais nous allons le surveiller. Nous lui ferons certainement un second lavage au charbon...

On dirait que Lise a avalé sa langue. Elle marmonne un merci timide et suit Inès qui attend des renseignements pour le dossier de Goal.

J'en profite pour le retrouver en salle de repos.

— Tu as eu du bol, toi ! Tu es arrivé juste à temps !

Il me regarde, il a encore le souffle court. Il est vraiment mignon, avec une tache noire sur chaque œil comme s'il portait des lunettes de soleil sur son long museau.

— Est-ce que Lise s'occupe bien de toi ? J'espère qu'elle est plus douée avec les chiens qu'avec les humains.

J'ai l'impression qu'il sourit. Il s'allonge et se met à ronfler doucement.

— Bonjour, Sophie !

Mme Barbosa, la mère d'Inès, me salue en entrant dans la clinique.

— Bonjour, madame. Inès remplit un dossier, elle va revenir bientôt.

— Tu sais qu'elle parle souvent de toi ? Elle t'admire beaucoup. Elle dit que tu as un don avec les animaux.

— Vraiment ?

C'est gênant, je ne sais pas quoi répondre. Heureusement, Mme Barbosa parle pour deux.

— Tu impressionnes beaucoup Inès. Pour elle, tu es une sorte de modèle !

Je ne mérite pas tous ces compliments. J'ai été si nulle avec elle !

Tout à coup, Inès nous rejoint.

— Je suis prête, maman. Quand je vais te raconter ce qu'on a fait aujourd'hui, tu ne vas pas le croire !

Elle met sa doudoune rose et la referme jusqu'au col.

— Au revoir, Doc'Mac. Au revoir, Sophie.

Elles quittent la clinique et Grand-mère m'entraîne dans son bureau.

— Assieds-toi.

Qu'est-ce qui se passe ?

— Je suis très fière de toi, Sophie. Jamais je ne t'avais vue agir de manière aussi professionnelle qu'avec ce chien. Tu t'es comportée en vraie Macore ; tes parents aussi seraient fiers de toi. Tu as été capable de mettre de côté ta colère contre

Lise pour s'occuper de son chien. Et tu as travaillé en équipe avec Inès.

Doc'Mac ôte sa blouse. Elle soupire et détend ses épaules.

— Changeons de sujet... J'ai passé quelques coups de fil pour en savoir plus sur ce champ de courses. Je voulais m'assurer que c'était un endroit correct pour des jeunes. On m'a dit qu'on y venait en famille voir les chiens courir. Alors, j'ai décidé de t'emmener avec moi dans le Connecticut.

— Ce n'est pas une blague?

— Non, mais j'y mets une condition...

Aïe!

— La mère d'Inès doit rendre visite à sa mère malade ce week-end. C'est à Washington. Elle préférerait ne pas emmener sa fille. Donc j'ai évoqué avec elle la possibilité de vous emmener *toutes les deux* dans le Connecticut. Vous pourriez suivre ma conférence et, ensuite, nous irions sur le champ de courses.

— Génial!

Je meurs d'impatience! Je trépigne sur ma chaise comme une gamine.

— La maman d'Inès est d'accord, poursuit Grand-mère. Elle dit qu'elle parle des lévriers en permanence. Elle lui a tout expliqué de tes recherches et de ton idée d'ouvrir un service d'adoption.

Grand-mère fait une pause pour ménager son effet dramatique.

— Alors, mon offre est simple, Sophie... Je vous emmène toutes les deux si tu acceptes de t'occuper d'Inès pendant la conférence.

— OUI!

J'ai bondi et je la serre dans mes bras.

— Mille fois oui!

Chapitre 11

· · · · · · · · · · · · ·

Inès profite de la conférence pour réaliser un projet pour son école : elle interviewe Grand-mère !

— Docteur Macore, vous venez de présenter le matériel médical que vous avez inventé. Vous avez été très applaudie. Avez-vous un commentaire ?

Inès lui a mis sous le nez le micro de son mini dictaphone comme une vraie journaliste. Grand-mère n'a pas l'habitude. Elle bafouille, elle me fait bien rire.

— Euh… Eh bien… c'est vrai… mais je ne suis pas la seule à féliciter ! J'ai des confrères formidables, finit-elle par dire.

Elle nous présente aussi les vétérinaires qui montent sur scène et nous explique leurs inventions.

Inès enregistre tout. Et quand Doc'Mac s'éloigne, elle braque son micro sur moi.

— Sophie Macore, que pensez-vous de cette conférence ?

— Euh... J'avais déjà entendu ma grand-mère en conférence, mais celle-ci était vraiment la plus intéressante. Elle a très bien expliqué le fonctionnement de ses nouveaux appareils.

Inès me passe ensuite le micro pour que je l'interviewe aussi.

— Alors, Inès... pouvez-vous me dire pourquoi vous avez voulu être bénévole dans une clinique vétérinaire ?

Tout de suite, les yeux d'Inès se mettent à briller.

— Pour aider les animaux malades ! s'écrie-t-elle. Même si c'est dur et triste parfois, je veux vraiment m'occuper d'eux.

— Et quel moment de la conférence avez-vous préféré ?

— Quand le docteur Macore a présenté la mini brosse à dents à angle réglable pour rongeurs.

Grand-mère nous rejoint et nous propose d'aller déjeuner. Moi, je sauterais bien le repas pour aller directement sur le champ de courses. Doc'Mac doit lire dans mes pensées, car elle ajoute aussitôt :

— On pourrait aussi prendre des pizzas à emporter et partir tout de suite? Vous êtes prêtes, les filles?

Inès hoche la tête avec enthousiasme. Moi, je suis déjà en route.

Le champ de courses Drescher est un grand stade couvert avec cinq tribunes. Il contient deux restaurants et de nombreux stands où acheter de quoi grignoter. Devant l'entrée, des manifestants brandissent des pancartes: «Signez notre pétition! Faisons interdire les courses de lévriers!» ou «Les courses de chiens sont un crime, pas un spectacle!». Je suis heureuse que nous ne soyons pas les seules à nous préoccuper du sort de ces chiens.

— Regardez tous ces gens! s'écrie Inès. Qu'est-ce qu'ils attendent?

Il y a des queues interminables devant une longue ligne de guichets.

— Ils viennent pour parier, lui répond Grand-mère à voix basse.

Je jette un coup d'œil sur les parieurs. Quelques familles, quelques touristes, beaucoup d'hommes. Certains examinent le programme des courses d'un air anxieux; il y en a même qui se disputent.

Doc'Mac nous entraîne plus loin. Inès ne la quitte pas, elle n'a pas l'air rassurée. Nous avons prévu, elle et moi, d'aller fouiner un peu. Pourvu qu'elle ne se dégonfle pas!

À l'intérieur du stade, en contrebas, nous voyons enfin la piste. Derrière les cages en plexiglas, je distingue une grande balance à plateaux.

— Où sont les lévriers, Sophie? me demande Inès.

— Là-bas. Près de ces hommes. Ils les pèsent avant la course.

Ils notent les poids sur un tableau noir.

— Tous les chiens d'une course doivent être dans la même catégorie de poids, explique Doc'Mac. Exactement comme les boxeurs. Les chiens les plus légers sont très avantagés.

— Oh, ça y est! Ils les font entrer dans les box de départ! s'exclame Inès. Mais ils les poussent! Quelles brutes!

— C'est le moins qu'on puisse dire, grogne Grand-mère.

Une perche tourne maintenant autour de la piste. Les employés du champ de courses sont en train de mettre en place le lièvre mécanique.

— On dirait un lapin en peluche! dit Inès.

La perche s'arrête juste devant les box et les lévriers aboient de toutes leurs forces. Les portillons s'ouvrent tous en même temps et ils s'élancent. Chacun a un numéro sur son dossard.

— C'est parti ! crie une grosse voix dans les haut-parleurs.

Les lévriers sont de vrais athlètes. Ils courent avec une grâce incroyable. Je suis hypnotisée.

— Le 5 gagne du terrain sur le 3, continue la voix. Le 6 est à la traîne… Non ! Il se rapproche !

Grand-mère a l'air très contrariée.

— Ils doivent aller à plus de 70 kilomètres à l'heure. Mais regardez le chien numéro 2.

Il trébuche, il tombe ! Et il ne se relève pas.

— Il faut l'aider !

Je suis prête à dévaler les gradins quand je vois accourir un employé du champ de courses. Il emporte immédiatement le chien blessé.

— J'espère qu'il verra tout de suite un vétérinaire, dit Grand-mère. Il a fait une très mauvaise chute.

Et comme s'il ne s'était rien passé, le speaker continue de commenter la course. Tour à tour, les lévriers passent la ligne d'arrivée.

— Un gagnant surprise aujourd'hui ! s'exclame-t-il. Notre vaillant numéro 5 Rêve de Parieur est le grand vainqueur du jour !

Des grognements et des cris de joie parcourent les gradins.

J'ai vérifié sur le programme, le chien blessé est une femelle qui s'appelle Chipie. Il faut que j'essaie de la retrouver. Après, il sera trop tard ; le champ de courses ferme dans un quart d'heure. Je sais bien que jamais Doc'Mac ne nous laissera aller dans les zones interdites au public. Je fais un clin d'œil discret à Inès.

— Je vais aux toilettes !

— Je t'accompagne, dit Grand-mère. Je ne veux pas que tu y ailles seule, Sophie.

— Mais j'ai quatorze ans ! Et c'est à deux pas !

Elle fait la moue, mais Inès intervient, comme prévu.

— Ne vous inquiétez pas, docteur, j'y vais aussi ! Et nous deux, on sait se défendre !

Elle s'agite comme un karatéka et Grand-mère rigole.

— D'accord, mais revenez aussitôt. J'ai rendez-vous avec Manuel Drescher à la fin de la prochaine course.

Message reçu cinq sur cinq. On se faufile entre les rangées de sièges. Dans le grand hall, je me retourne vers Inès.

— Tu peux encore changer d'avis, tu sais ? La mission est un peu flippante et Grand-mère sera furieuse si elle apprend qu'on lui a désobéi.

Inès me toise comme si je venais de l'insulter.

— Ce n'est pas pour rien qu'on m'appelle «Nerfs d'acier» dans mon équipe d'athlétisme ! Et toi ? Tu as peur ?

— Bien sûr que non !

Bien sûr que oui ! Courage, Sophie Macore !

Je regarde attentivement autour de moi. Je cherche un passage qui pourrait mener aux chenils. Inès parle sans arrêt. Sans doute sa façon à elle de gérer le stress.

Soudain, j'ai l'impression d'entendre des gémissements de chiens.

— Tu as entendu, Inès ?

— Oui. D'où ça venait ?

— De là, je crois…

Près d'une porte métallique portant l'écriteau «PRIVÉ», le bruit devient plus net. J'hésite un instant. Inès se précipite sur la poignée, ouvre et s'élance dans un couloir ! Après, on descend un escalier vers une cave crasseuse. Ça sent le moisi, le chien mouillé et la nourriture pour animaux. Il y a des rangées de cages alignées contre les murs. Chacune contient un chien muselé. Certains sont très agités, ils tournent en rond dans leurs minuscules cages ou se jettent contre les barreaux.

— Inès, regarde ! C'est Chipie !

La chienne se lèche la patte, attachée à un poteau au fond de la cave.

— Ils ne l'ont pas encore soignée ! Elle n'a même pas de bandage !

Lentement je tends la main. Je fais très attention

à ses réactions et je la caresse doucement entre les oreilles.

— Est-ce que tu as mal, ma belle ?

— Sophie, j'entends des voix… chuchote Inès. Cachons-nous !

On se précipite derrière un meuble de rangement juste au moment où deux hommes entrent.

— Chipie court lundi prochain ! dit l'un des hommes. Et elle a intérêt parce que j'ai investi des milliers de dollars sur elle !

Il pense vraiment qu'elle sera prête à courir ? Je risque un coup d'œil. Un homme grassouillet avec le blouson des employés du champ de courses est penché sur la chienne. L'autre derrière lui est plus grand et il fume le cigare. Pourvu que je ne me mette pas à tousser !

— Fais-lui donc une injection d'antidouleur et elle ne sentira plus son entorse ! dit le plus grand.

L'homme accroupi sort une seringue de sa poche et pique la chienne. Chipie pousse un aboiement aigu. Je me tourne vers Inès. Encore une fois, elle a réagi avant moi. Elle a sorti son dictaphone et elle enregistre toute la conversation.

Entre la poussière de la cave et la fumée du cigare, je dois faire d'énormes efforts pour ne pas éternuer.

— Et que penses-tu de Whisky? demande le petit homme en s'approchant des cages.

— Ce sac à puces n'a aucune chance de gagner une course, répond le grand. Il était encore trop lourd à la pesée. Tu lui fais manger des briques ou quoi?

Et tous les deux éclatent de rire. J'entends encore un gémissement. Ça suffit! C'en est trop pour moi! Je ne supporte pas qu'on martyrise les chiens, il faut que je voie ce qui se passe.

Le grand homme maintient les mâchoires d'un chien ouvertes pendant que l'autre essaie de lui faire avaler quelque chose. Le chien est terrifié.

Je respire un grand coup et je bondis de derrière le meuble. Inès enregistre toujours. Si ces hommes s'en prennent à moi, au moins elle aura des preuves!

— Qu'est-ce que vous lui donnez? Arrêtez ça tout de suite!

J'essaie d'avoir l'air menaçant, mais mes jambes tremblent comme des feuilles.

— Tu ne sais pas lire, gamine? me lance le grand. Tu n'as pas vu «PRIVÉ» sur la porte? Tu n'as rien à faire ici! Dégage!

Son regard mauvais me glace le sang.

— Elle vous a dit d'arrêter! crie Inès à son tour en brandissant son dictaphone. J'ai tout enregistré!

Le petit homme sursaute et la bouteille qu'il tenait lui échappe des mains. Je me précipite pour la récupérer avant lui.

— C'est un laxatif!

L'autre jette son cigare et crie:

— Attrape-moi ces gosses!

Aucune chance! Je suis rapide et Inès est une vraie championne. On grimpe l'escalier quatre à quatre et on déboule dans le hall. En nage, à bout de souffle, on court le plus loin possible de la cave. On s'arrête seulement près des gradins. Aucun signe des deux hommes, je peux sortir la bouteille de ma poche.

— La voilà, notre preuve!

Inès sort son dictaphone.

— Nos preuves!

Nous retrouvons Doc'Mac sans avoir eu le temps de reprendre notre souffle.

— Qu'est-ce qu'il vous arrive, les filles? Vous avez mis un temps fou!

Plus question de lui mentir, je lui raconte tout.

— J'espère que vous réalisez à quel point ce que vous avez fait est dangereux! s'écrie Grand-mère. Cela aurait pu très mal tourner. Là, je n'ai pas le temps, mais je vous préviens que nous en reparlerons! Maintenant, nous avons rendez-vous avec Manuel Drescher.

Chapitre 12

— Qui dois-je annoncer à M. Drescher?
demande la secrétaire en nous regardant
d'un air soupçonneux.

Elle doit se demander ce qu'une dame et deux
gamines peuvent bien vouloir à son patron.

— Le docteur Macore, Sophie Macore et Inès
Barbosa. Dites-lui que nous sommes des amies de
sa sœur Roselyne.

Elle s'éloigne en trottinant sur ses talons aiguilles
et revient quelques instants plus tard.

— Suivez-moi, je vous prie...

Manuel est installé dans un grand fauteuil,
son bureau est jonché de tickets de paris jaunes
et verts. Il est au téléphone et nous fait signe

d'attendre. Sa secrétaire se plante à quelques pas derrière lui.

Pendant qu'il parle, nous avons le temps d'observer la pièce.

— Tu as vu le coffre-fort ? me chuchote Inès.

Il est encastré dans le mur, comme dans les films. Juste à côté, il y a une photographie de Manuel et de sa sœur, jeunes et souriants devant le champ de courses.

— Le temps du bonheur... murmure Grand-mère.

Manuel raccroche et se lève. Il tend une main couverte de grosses bagues en or.

— Les amis de ma sœur sont les bienvenus ! Avez-vous aimé les courses ? Vous avez gagné, j'espère ?

— Je ne parie jamais, répond sèchement Grand-mère.

Manuel continue de parler comme s'il n'avait pas entendu sa réponse. On dirait qu'il adore s'écouter parler ! Cela pourrait durer des heures.

— Je suis dans ce business depuis trente ans et je n'ai jamais vu un chien aussi rapide que Rêve de Parieur. Il remporte tout ! Il est imbattable ! Quel champion !

— Et Chipie, le chien numéro 2 ? dis-je. Qu'est-ce qu'il va lui arriver ?

Je sens mon pouls s'accélérer mais je continue :

— Elle ne doit pas courir lundi, contrairement à ce que disent vos hommes. Elle a peut-être une entorse. Il lui faut au moins deux semaines d'immobilité !

— Allons, elle s'en sortira très bien, rétorque Manuel, jovial.

Peu à peu, son sourire devient menaçant.

— Et de quels hommes parlez-vous ?

— Monsieur, commence Grand-mère, nous avons des preuves de ce que subissent vos chiens. Cela pourrait vous valoir de très fortes amendes et même la fermeture de votre champ de courses !

— Qu'est-ce que vous racontez ? s'écrie Manuel. Toutes mes activités sont légales !

— Alors permettez-moi de vous faire écouter ceci… et sachez que j'ai prévenu les deux policiers qui surveillent le hall que je pourrais avoir besoin de leur aide.

Doc'Mac fait un signe et Inès déclenche son dictaphone.

« Fais-lui donc une injection d'antidouleur et elle ne sentira plus son entorse ! »

On entend toute la conversation. On entend les ricanements des hommes et les gémissements de Chipie.

Manuel a pâli. Il regarde sa secrétaire. On voit bien qu'il ne sait plus quoi faire.

— Il est cruel de forcer un chien blessé à courir! s'exclame Grand-mère. Je suis certaine que cela intéressera beaucoup la SPA!

Elle a été choquée par l'enregistrement, mais elle a vite repris ses esprits.

— Nous avons aussi vu vos hommes essayer de donner un laxatif à un chien, dis-je. Ce n'est pas autorisé non plus!

— Impossible, mes soigneurs ne feraient jamais ça, déclare Manuel en tirant nerveusement sur sa chemise.

— Peut-être que les propriétaires les paient pour le faire? Si vous ne me croyez pas sur parole, regardez cette bouteille!

Je sors le flacon de ma poche et je le lui présente, l'étiquette bien en vue.

— Qu'est-ce que vous voulez, à la fin? crie Manuel en frappant du poing sur son bureau.

— Dans l'idéal, faire fermer votre champ de courses, répond Doc'Mac. Mais, à défaut, nous voulons ouvrir un service d'adoption de lévriers qui ne courent plus, ici, dans vos locaux. Les chiens âgés ou blessés ne doivent plus être euthanasiés mais adoptés.

Manuel hausse les épaules.

— Écoutez, ma petite dame, je dirige un business, pas un foyer de la SPA! Moi, je gère les courses. Ce que les propriétaires font de leurs chiens, cela les regarde.

— C'est faux, rétorque Grand-mère. Vous partagez la responsabilité de ce qui leur arrive. Saviez-vous que Pain d'Épice, l'un de vos chiens, a été abandonné devant la porte de votre sœur par l'un de vos employés? Sa blessure n'avait pas été soignée, elle a failli la tuer!

— Ma grand-mère tient une chronique reprise dans de nombreux journaux du pays, dis-je à Manuel. Elle pourrait tout à fait écrire un article formidable sur votre établissement. Avec des détails sur la façon dont les chiens de course sont traités chez vous. Des centaines de milliers de lecteurs pourraient découvrir...

— Vous me menacez? Pour qui vous prenez-vous? Fichez le camp!

La secrétaire, muette jusque-là, se réveille soudain:

— Vous avez entendu? Ouste! Dehors!

Et Manuel se précipite vers nous, le poing tendu. Je n'arriverais même plus à courir, j'ai les jambes en coton.

— Dois-je vous rappeler que la police attend en

bas ? Voudriez-vous que je les appelle dès maintenant ? demande très calmement Grand-mère.

Manuel Drescher ne répond pas, mais les veines
de son cou et de son visage sont gonflées de colère.

J'ai encore une carte à jouer. La dernière...

— D'un autre côté, monsieur Drescher, si vos
chiens pouvaient trouver un nouveau foyer, nous
vous en serions très reconnaissantes. Les manifestants que nous avons vus devant l'entrée apprécie-
raient aussi. En fait, nous pouvons vous aider...

— Mais ça va me coûter une fortune ! Qu'est-ce
que j'ai à y gagner ?

— Une excellente image de votre entreprise,
intervient Doc'Mac. Si vous coopérez, je peux
même encourager certains vétérinaires de la région
à aider à l'adoption de ces chiens. Pour moi, les
courses de chiens devraient être interdites, mais
tant qu'elles ne le sont pas, la moindre des choses
est de s'assurer qu'on s'occupe bien des animaux.

Manuel reste silencieux, il semble peser le pour
et le contre.

— Cela ne semble pas une si mauvaise idée, dit
sa secrétaire.

— Peut-être, mais je n'en ai pas les moyens !

— Nous organiserons des collectes de fonds,
dis-je très vite. Nous pouvons trouver des béné-
voles et animer un site Internet. On s'occupe

de tout; tout ce que vous avez à faire, c'est nous fournir les locaux et la nourriture des animaux.

Manuel passe la main dans ses cheveux.

— Bon, je vais réfléchir. Je vais voir ce que je peux faire...

Grand-mère lui sourit, mais je sais bien qu'elle se force.

— Une dernière chose, monsieur Drescher... Nous souhaitons emmener avec nous les chiens qui sont blessés. Comme Chipie, qui ne doit surtout plus courir après sa chute.

— Bon, bon, marmonne Manuel. Il faut que j'en parle aux propriétaires...

Chapitre 13

• • • • • • • • • • • •

Nous patientons dans le bureau de la secrétaire pendant que Manuel téléphone aux propriétaires. Celui de Whisky accepte tout de suite, content de se débarrasser d'un chien qui ne gagnait plus une course. Celui de Chipie refuse d'abord, jusqu'à ce que Manuel lui explique la forte amende qu'il risque pour faire courir un chien blessé. Il nous donne un quart d'heure pour aller chercher dans notre van ce dont on a besoin : le matériel médical et les laisses. Ensuite, nous devons retrouver l'un de ses employés, Thomas Mahoney, devant l'entrée principale.

M. Mahoney nous attend comme prévu. Il porte une veste aux couleurs du champ de courses Drescher.

— Alors, c'est vous, les amis de Roselyne ? Elle est vraiment super ! Elle fait tellement pour aider les chiens !

Il est beaucoup plus sympathique que les autres employés, mais je suis quand même inquiète à l'idée de redescendre dans cette cave sinistre. Pourvu que les deux affreux ne soient plus là !

À notre arrivée, les chiens aboient comme des fous et Grand-mère tousse en respirant l'air vicié.

— Oh ! Cet endroit mériterait un bon coup de karcher !

— Voilà Chipie, dis-je en m'agenouillant près d'elle.

La chienne est toujours attachée au poteau ; elle gémit quand je touche sa patte blessée.

— Elle s'est tellement léchée qu'elle est complètement trempée !

À genoux, Doc'Mac ausculte aussitôt sa patte.

— C'est bien une entorse, il lui faut une attelle et un bandage. Monsieur Mahoney, j'ai besoin d'eau chaude.

— Il y a un évier dans ce coin.

En effet, je le devine sous les piles de gamelles et de sacs de croquettes.

— Inès, va remplir ce bol, dit Grand-mère. Après, tu nettoieras sa patte avec ce savon antiseptique.

Dès qu'Inès a terminé, je peux glisser une bande de métal sous la patte de Chipie et Doc'Mac lui fait un bandage très serré.

— Bien! Cela devrait tenir jusqu'à la clinique, dit-elle. Où est l'autre chien?

Elle suit M. Mahoney jusqu'à la cage de Whisky. Elle ouvre la porte pour le laisser sortir.

— Regardez! Il a la queue coupée!

Je ne l'avais pas vu avant.

— Oui, il a fini par se blesser à force de se jeter contre les barreaux, soupire M. Mahoney. Ça ne guérissait pas, alors on a dû lui couper la queue.

— C'est horrible, s'écrie Inès. C'est à cause de vos cages, elles sont beaucoup trop petites!

Même dans ces conditions, Whisky a l'air joyeux! C'est surprenant.

Pourtant, je remarque qu'il tremble comme s'il venait de terminer une course.

Grand-mère s'approche et pose son stéthoscope sur sa poitrine.

— Son cœur bat trop vite.

Très inquiète, elle palpe son dos.

— Ses reins ne fonctionnent pas bien… Je dois le perfuser immédiatement.

Je monte le trépied et je prépare une poche de sérum physiologique pendant qu'elle désinfecte l'épaule du chien. Elle pose le cathéter et je relie la perfusion.

— L'usage répété de laxatifs a pu lui abîmer les reins, explique Grand-mère. À force d'être purgé, il a des carences en minéraux. Quand les dommages sont importants, les reins cessent de fonctionner.

— Ne t'en fais pas, Whisky, on va t'aider, dit Inès en caressant son dos bleu-gris.

Je prends sa température et Doc'Mac prélève un échantillon sanguin.

— Sa température est trop basse !

— C'est logique, avec l'abus de laxatifs, dit Grand-mère. Nous en saurons davantage à la clinique avec les résultats des analyses.

Je mets en laisse Whisky pendant qu'Inès s'occupe de Chipie, et nous quittons aussitôt le champ de courses. Plus nous avançons sur le parking, plus les chiens sont nerveux. Ils sursautent au moindre bruit.

— Pourquoi sont-ils si peureux, Grand-mère ?

— Parce qu'ils ne sont jamais sortis ! Ils ne connaissent ni les voitures, ni les grands espaces, ni même l'air libre !

Heureusement qu'il y a toujours des cages à l'arrière du van. Le temps du trajet, ils seront plus calmes.

M. Mahoney nous souhaite bonne chance. Puis

Inès et moi, nous montons à l'arrière pour veiller sur les chiens. Ils ont un regard si doux malgré tout ce qu'ils ont vécu!

Grand-mère conduit doucement sur l'autoroute. De temps en temps, elle nous regarde dans le rétroviseur. Est-ce que nous allons échapper à son sermon sur les dangers de notre enquête? Non! On arrive en Pennsylvanie quand elle dit soudain:

— Les filles, vous introduire dans les sous-sols du champ de courses, sans me prévenir, était stupide et dangereux! J'écoute tes explications, Sophie Macore!

— Je suis désolée, Grand-mère, mais j'avais peur que tu ne sois pas d'accord.

— Et toi, Inès?

J'espère qu'elle ne va pas dire que c'était mon idée...

— Je vous demande pardon, Doc'Mac. J'ai failli faire avoir de gros ennuis à Sophie.

Au contraire! Elle est en train de s'accuser pour me disculper!

Sa voix se casse quand elle ajoute:

— Si vous voulez, je ne serai plus bénévole à la clinique...

— Écoutez-moi, l'interrompt Grand-mère. Je sais que vos intentions étaient bonnes et que vous avez eu beaucoup de courage. Mais que se serait-il passé si ces hommes vous avaient attrapées? Je ne savais même pas où vous étiez! La prochaine fois, parlez-moi de vos projets au lieu d'imaginer à l'avance que je vais refuser de vous aider!

Inès pleure. Je lui prends la main.

Oh, Grand-mère… punis-moi si tu veux, mais laisse-la tranquille!

— Sophie, tu m'écriras un texte sur la façon dont vous auriez pu mener votre enquête sans prendre autant de risques. Tu es intelligente, je suis certaine que tu aurais pu trouver d'autres solutions.

Oh non! Elle sait que, pour moi, écrire est une vraie torture!

— Inès, ce n'est pas à moi de te punir, ta mère décidera. Tu lui expliqueras toi-même ce qui s'est passé.

— Elle va me tuer! s'écrie Inès.

— Je ne pense pas, non. Mais tu aurais dû réfléchir avant d'agir. Bien sûr, tu peux continuer à être bénévole à la clinique. Nous aurions du mal à nous passer de toi.

— C'est vrai, Inès. Tu es super, même en salle d'op!

Elle me sourit. Et tant pis pour ma punition! Chipie et Whisky dorment dans leurs cages, je me sens aussi bien que si je venais de remporter dix matchs de basket!

Chapitre 14

· · · · · · · · · · · · ·

— Salut, Sophie!

Clara, que je n'ai pas vue depuis des siècles, pose son plateau de cantine à côté du mien.

— Quoi de neuf à la clinique? Je viens de terminer mon énorme exposé d'histoire, je vais pouvoir revenir dès demain.

— Laisse-moi deviner... Tu as encore eu un tout petit 20 sur 20?

— Non, 18, répond Clara. Il paraît qu'Inès et toi vous êtes allées sur le champ de courses dans le Connecticut. C'est vrai?

Je hoche la tête en mordant une frite.

— Les nouvelles vont vite! David a encore vendu la mèche!

J'ai commencé à lui raconter toute l'histoire dans le car ce matin, mais je n'ai pas eu le temps de terminer. Je lui ai promis la suite ce midi.

Quand on parle du loup! Le voilà qui se laisse tomber sur le siège à côté de moi.

— Tu me connais, Sophie... je suis incapable de tenir ma langue. Allez, maintenant je veux tous les détails!

Isabelle nous rejoint et s'attaque à son hamburger végétarien sans dire un mot.

Je leur raconte notre enquête dans la cave, comment nous avons récupéré les preuves et réussi à nous enfuir. Au fur et à mesure, d'autres élèves viennent m'écouter à notre table: mon équipe de basket, des filles de mon cours d'anglais... Je remarque aussi Lise qui chuchote quelque chose à Isabelle.

— Aller sauver ces chiens et tenir tête à ces escrocs, ça demande un sacré cran! s'exclame un garçon de troisième.

Je leur raconte aussi le retour à la clinique où nous avons soigné les lévriers.

— Ils vont s'en sortir tous les deux. Et devinez qui a appelé ma grand-mère ce matin? Manuel Drescher! Il accepte de nous laisser ouvrir un centre d'adoption dans l'enceinte du champ de courses.

Mon public applaudit, j'adore ce moment. Et, encore mieux, Isabelle se lève pour me serrer dans ses bras.

— Tu vas devenir une héroïne pour mes parents ! s'exclame-t-elle. Sophie Macore, défenseur des lévriers !

Nous sommes tous réunis à la clinique. Ce sera bientôt l'heure de fermer, les animaux ont été nourris, leurs cages sont propres. Ils ont eu droit à une promenade. Chipie et Whisky ont été particulièrement dorlotés. Ils jouent comme deux chiots. On les gardera ici tant que le centre d'adoption ne sera pas ouvert. Nous avons déjà trouvé un nom à notre action : «Projet Pain d'Épice : un foyer pour lévriers».

Clara a pris en main le site Internet. Nous mettrons en ligne des photos des chiens et des conseils aux futurs maîtres. Et si ça marche bien, on envisage de proposer un centre d'adoption à d'autres champs de courses.

Inès a eu la super idée d'ajouter une description du caractère de chaque chien à côté de sa photographie. Nous sommes en train de créer notre première page Internet quand la sonnette retentit.

Je vais tout de suite ouvrir. Sur le pas de la porte, je me fige.

— Lise!

— Bonsoir, Sophie.

Mal à l'aise, elle n'ose pas avancer.

— Est-ce qu'on peut se parler?

Je lui fais signe d'entrer. Les lévriers lui sautent aussitôt dessus.

— Qu'ils sont beaux! Ce sont les chiens du champ de courses?

— Oui, mais suis-moi. Chez moi, on sera plus tranquilles. C'est juste à côté.

Je préfère l'emmener ailleurs, je n'ai pas envie qu'elle se mêle de notre site.

Je la précède dans la cuisine. Sherlock trottine à ma rencontre et renifle mon jean.

— Je plaide coupable, mon vieux! Tu as raison, je me suis occupée d'autres chiens, dis-je en le caressant.

Je propose à Lise de s'asseoir sur le canapé et je choisis une chaise à bonne distance.

— Je t'écoute.

— Je voulais juste te dire que j'admire beaucoup ce que tu as fait au champ de courses. Tu sais, Sophie, on n'est pas si différentes, toutes les deux. On a même beaucoup de choses en commun. Les chiens, le sport... Quand je suis arrivée dans ce collège, je me suis jetée à fond dans le basket. Il fallait bien que je me raccroche à quelque chose. Tu as déjà été obligée de changer d'école, toi ?

Je fais signe que non.

— Alors tu ne sais pas la chance que tu as ! C'est super dur d'être la nouvelle.

— Peut-être, mais tu n'avais aucune raison d'être aussi méchante avec moi. Je n'y étais pour rien et je ne t'avais rien fait !

— Je sais, je suis désolée. J'essayais d'avoir l'air forte. Mais on dirait que je me suis juste très mal comportée, conclut-elle avec un petit sourire.

— Moi aussi, dis-je assez bas. Pour te dire la vérité, je n'étais pas heureuse de voir arriver quelqu'un d'aussi doué dans notre équipe, surtout quand tu as annoncé que tu jouais pivot.

Je commence à sourire à mon tour.

— Lise, j'admets que tu joues vraiment, vraiment très bien, mais il faut que tu apprennes à passer le ballon !

— Tu es douée aussi, Sophie. Surtout pour ta taille, ajoute-t-elle avec un clin d'œil. Il faut qu'on travaille ensemble plutôt que se mettre des bâtons dans les roues.

— Je suis d'accord pour enterrer la hache de guerre... à une condition. Plus jamais tu ne m'appelles « demi-portion » !

— Promis !

— Alors je te propose aussi de nous aider pour le programme d'adoption des lévriers.

Le visage de Lise s'éclaire aussitôt.

— Génial! En plus, j'y ai réfléchi. Vous allez avoir besoin d'argent, non?

Je hoche la tête en soupirant. C'est le seul aspect du problème pour lequel je n'ai pas encore trouvé de solution.

— Qu'est-ce que tu proposes?

— Un match de basket! On l'organise, et toutes les recettes iront au projet. Qu'est-ce que tu en penses?

— Super, c'est adopté, Lise! Si tu nous passes de temps en temps le ballon!

Chapitre 15

. . . .

L ise et moi avons réussi à composer deux équipes d'enfer. Toutes les stars du collège étaient là et même certains élèves du lycée d'Ambler qui soutiennent notre projet.

Clara et Isabelle se sont occupées des affiches, il y en a partout dans les rues de la ville. Inès et ses amies les ont accrochées dans les écoles primaires, et les tickets se sont vendus comme des petits pains.

William, notre entraîneur, s'est proposé pour l'arbitrage et il nous a réservé le gymnase du collège. J'étais capitaine d'une équipe, Lise de l'autre. C'est la sienne qui a gagné, mais elle a été très fair-play et elle a évité de s'en vanter. En tout cas, sous mon nez. Elle m'a même complimentée pour quelques beaux paniers. Je ne suis pas certaine que l'on s'entende toujours aussi bien, mais nous allons essayer. Le match retour aura lieu dans deux semaines, même endroit, même jour, même heure !

La fête d'après-match a lieu chez moi. Les chiens courent partout dans le salon, traquant les miettes de nourriture. Sherlock a renoncé à défendre son territoire, il est devenu ami avec Chipie et Whisky. Socrate, le chat de Grand-mère, est le seul qui boude la fête, réfugié derrière le rideau de douche de la salle de bains.

Les adultes portent de petits chapeaux pointus en carton sur lesquels on peut lire «Projet Pain d'Épice». Personne n'a encore osé leur dire qu'ils étaient ridicules.

David raconte des blagues idiotes, mais pour l'instant il n'a pas été trop maladroit. Il n'a renversé qu'un seul saladier de chips. Et les chiens ont aussitôt fait le ménage.

Roselyne est accompagnée de Pain d'Épice. Il est en bonne santé et boite à peine. Elle me présente l'ami de Grand-mère, le vétérinaire qui s'occupe de réadapter Tempête. Il a même décidé de l'adopter !

— Ce lévrier est très intelligent, dit le docteur Haverford. En quelques jours, il a réussi à cohabiter avec mon chat !

Plusieurs garçons de troisième sont venus, principalement pour manger, je pense. Mais ils ont été nos supporters les plus enthousiastes pendant le match.

— Qu'est-ce que c'est ? demande l'un d'eux en flairant un plat.

— Du poulet épicé, explique Clara. C'est indien. Ma mère l'appelle *masala murgh*.

Aussitôt, il se sert une énorme part.

— Goûte aussi le plat de mon père, dit Inès. C'est brésilien… *Feijoada*, du ragoût de porc et de haricots.

— Eh ! Vous oubliez les cookies de ma mère, proteste David.

Les garçons n'ont déjà plus de place dans leurs assiettes, mais ils parviennent à empiler quelques gâteaux.

Quand tout le monde a bu et mangé, je demande une petite minute de silence.

— Je voudrais vous remercier de nous avoir soutenus aujourd'hui. Entre la vente de billets et les dons, nous avons réussi à collecter plus de mille dollars pour le Projet Pain d'Épice ! En une seule journée !

La pièce s'emplit d'acclamations.

— Bientôt, des lévriers pourront être proposés à l'adoption sur notre site Internet. Ce sont des chiens géniaux! Comme Chipie et Whisky qui se promènent parmi nous depuis le début de la soirée... Et nous avons la chance d'avoir à nos côtés un spécialiste, un vétérinaire, ami de ma grand-mère, le docteur Haverford!

Il salue l'assistance. Il est très applaudi quand j'explique qu'il est déjà en train de réadapter un lévrier.

Inès s'approche avec Whisky. Après un bon bain et un coup de brosse, son pelage ambré est magnifique.

— Je voudrais en profiter pour annoncer que ce chien-là, c'est moi qui l'adopte!

Encore une salve d'applaudissements, pour le plus grand plaisir de Mme Barbosa, très fière de sa fille.

À son tour, Doc'Mac s'avance. Elle lève son verre.

— Moi, c'est à Sophie et Inès que je porte un toast. À leur courage, à leur dévouement... et à leur culot! Bon vent au Projet Pain d'Épice!

La vie est une course

Tout le monde sait que les lévriers sont rapides. Ils peuvent courir jusqu'à 70 kilomètres à l'heure, presque aussi vite qu'un cheval de course. Mais peu de gens savent que leur race est la plus ancienne de toutes. Elle existait déjà dans l'Égypte antique.

Chiens de pharaons. Les lévriers sont des chiens de chasse. Ils chassaient la gazelle en Égypte 2 500 ans avant Jésus-Christ. Ils étaient si respectés qu'ils étaient momifiés et déposés dans les tombeaux de leurs maîtres. Au Moyen Âge, en Europe, les lévriers étaient réservés aux familles royales. En Angleterre, il était interdit au peuple de posséder un lévrier, sous peine de mort.

De la Prairie aux champs de courses. Au milieu du XIXᵉ siècle, les lévriers sont importés aux États-Unis en grand nombre. Les fermiers pionniers comptent sur eux pour les débarrasser des lapins et des coyotes qui infestent leurs terres. Ils découvrent vite leurs qualités de sportifs, et la première course de lévriers se tient à Kansas City en 1886. À l'époque, on utilise de vrais lapins comme leurres! Il faudra attendre 1912 pour qu'Owen Patrick Smith invente le lièvre mécanique.

Effrayantes statistiques. Chaque année aux États-Unis, 38 000 nouveaux lévriers commencent à courir; autant prennent leur retraite. Sept mille d'entre eux sont adoptés. Qu'arrive-t-il aux 31 000 autres? D'après la SPA américaine, ils sont euthanasiés, vendus à des laboratoires ou abandonnés.

Depuis le début des années 1980, les militants de la cause animale se battent pour dénoncer le monde obscur des courses de lévriers et promouvoir leurs adoptions.

Découvrez vite un extrait du tome 13 :

LES PETITS
VÉTÉRINAIRES

Nouveaux départs

Chapitre 1

· · · · · · · · · · · · · ·

Le chat tigré traîne encore autour des poubelles. Cela fait une semaine que nous avons emménagé et, tous les jours, je l'ai vu rôder derrière le magasin. Il est tard. J'ai promis à maman de l'aider à préparer le dîner, mais je veux d'abord vérifier qu'il va bien. Hier, son oreille gauche était blessée. Je n'ai rien pu faire, il était trop nerveux pour que je le touche.

— Salut, minet! Comment va ton oreille?

Le chat miaule pour me répondre. Il reste à distance et bat de la queue. Ce n'est pourtant pas un chat des rues. Sa fourrure est épaisse, brillante, et il a l'air bien nourri. Il est presque grassouillet! Chaque soir, il s'approche un peu plus de la gamelle d'eau que je lui apporte. Une fois, j'ai même réussi à le caresser!

— Miaou?

Ça sonne vraiment comme une question.

— Bien sûr que tu peux me faire confiance!

Il penche la tête et me fixe de ses yeux verts.

Mon jumeau, Samuel, dit que j'ai un sixième sens, le «sens animal».

— N'aie pas peur...

Il est magnifique! J'adore ses rayures grises et noires. Il a deux traits plus foncés sur le haut de la tête qui forment un M. Et il a les yeux cernés comme s'il était maquillé. Son poitrail est blanc et duveteux.

Je m'agenouille près de la gamelle et je reste immobile. Il finit par approcher, renifle et se met à laper. Enfin! Je tends la main, il vient frotter son front contre mes doigts.

— Eh! Tu me chatouilles avec tes moustaches!

Il miaule et je le caresse. D'abord son dos puis sa tête. Je le gratte sous le menton. Il ronronne aussitôt. Je m'entends bien avec les chats. Ceux de Pittsburgh me manquent tellement. Ce chat-là ressemble à Clair de Lune, un tigré du refuge. Il était méfiant, lui aussi. Avant notre déménagement, j'étais bénévole au refuge deux fois par semaine. J'aidais aux soins des animaux, je changeais leur eau, je remplissais les gamelles. Je jouais avec les chats et les chiens. Il faut les sociabiliser pour qu'ils aient plus de chances d'être adoptés.

— Où habites-tu, minet? Tu as une maison?

Il relève la tête comme s'il allait répondre.

Dès que nous sommes arrivés ici, j'ai décidé d'être bénévole au refuge d'Ambler. J'ai même demandé une lettre de recommandation au responsable de celui de Pittsburgh. Je suis sûre qu'on m'acceptera!

Le chat ronronne de plus en plus fort.

J'ai vu aussi qu'il y avait une clinique vétérinaire à deux rues de chez moi. Je pourrais leur proposer mon aide. Si je veux devenir vétérinaire un jour, je dois avoir plus d'expérience. Surtout que je n'ai jamais eu un animal à moi. Maman a promis que nous en adopterions un après le déménagement, mais elle dit maintenant qu'elle a mille autres choses à faire avant.

Elle ne comprend pas à quel point j'aime les animaux.

Papa, si. Lui aussi, il aime leur parler, les regarder, les caresser, comme moi. Maman craint beaucoup les microbes, et surtout qu'ils laissent des poils partout.

Le chat tigré me tourne autour, il se frotte contre mes jambes et réclame d'autres caresses.

— J'aimerais tellement te garder avec moi! Mais je pense que tu as déjà une maison. Tu devrais avoir un collier avec ton nom et le numéro de ton maître!

Il est tout contre moi quand la porte arrière du magasin s'ouvre brusquement.

— Hé, Julie! s'écrie mon frère. C'est un nouveau pour ta collection de chats errants?

Aussitôt, le chat s'enfuit à l'autre bout du parking.

— C'est malin! Tu lui as fait peur...

— Pardon, je ne voulais pas, dit Samuel.

Le tigré est hors de vue. Ce soir, il ne reviendra pas. J'aurais quand même voulu vérifier la cicatrisation de son oreille.

— Maman a besoin de toi à l'étage, Julie! Moi, j'aide papa au magasin. Elle veut aussi qu'on prépare nos affaires pour le collège. On reprend demain et je suis épuisé! Ce n'étaient pas des vacances de printemps reposantes.

Samuel a raison. D'ailleurs, lui et moi, on est presque toujours d'accord. Ce qui n'est vraiment pas le cas avec ma petite sœur.

— Comment tu trouves le magasin, Julie? Il est super, non?

— Oui, vraiment chouette!

Pourtant, la droguerie était toute défraîchie

quand nos parents l'ont achetée. Ils l'ont rebaptisée «Des Roses et des Clés», parce que, en plus du matériel de bricolage, ma mère veut vendre tout ce qu'il faut pour jardiner.

— Tu sais, Julie, j'adore le panneau flashy que tu as peint avec papa. Il y a encore deux ou trois bricoles à arranger, mais ça avance à pas de géant !

Papa et moi, on est doués avec des outils. Samuel moins.

Moi, j'aime construire, fabriquer, scier, clouer.

— Je suis impatient que ça ouvre, dit mon frère.

— Moi aussi, mais pas pressée d'aller au collège.

— Allez, petite sœur, ça va bien se passer !

— J'espère…

Il rentre et je l'entends monter quatre à quatre l'escalier. Notre appartement est au-dessus du magasin. Il y a aussi un immense sous-sol. On a voulu l'explorer dès notre arrivée, mais ce n'était pas non plus sur la liste des priorités de ma mère.

Papa dit que le sous-sol a besoin de beaucoup de travaux mais qu'il fera un espace génial pour organiser des ateliers où apprendre à nos clients à bricoler.

Puisque le chat ne revient pas, je me décide à rentrer à mon tour.

À l'étage, rien n'est installé. Il y a des cartons partout.

— Julie, lave-toi les mains et aide-moi à mettre la table, dit maman.

Dans le salon, ma petite sœur Lola parle à ses peluches. Elle leur construit des cabanes en carton.

— Comme tu vas être bien, mon nounours, dans ta nouvelle maison !

Il est vraiment temps qu'on ait un animal à nous !

— Alors, impatiente d'aller à l'école ? me demande maman.

— Non, pas vraiment.

Est-ce que je vais avoir droit à un long sermon ? Et à une liste interminable de recommandations ? En cinquième, il faut être sérieuse… En cinquième, il faut organiser son travail…

Non. Maman soupire et retourne préparer le dîner. Je me tais. Si je commence à dire à maman ce que je ressens, je serai incapable de m'arrêter. Et je ne pense pas que cela l'intéresse vraiment.

— En tout cas, arrive au collège avec le sourire, me conseille maman. C'est plus facile quand on est aimable de se faire de nouveaux amis.

Pour elle, tout semble toujours simple !

J'aimais l'école à Pittsburgh. J'avais de bonnes notes, je connaissais tout le monde et tout le monde me connaissait. Et puis mes parents ont vu l'annonce de la droguerie. Comme ils avaient toujours rêvé d'un magasin à eux, ils n'ont pas laissé passer leur chance. Résultat: Samuel et moi, on doit tout recommencer à zéro! Nouvelle école, nouvelle ville... et au dernier trimestre, en plus! Tous les élèves auront déjà leurs copains.

Heureusement que mon frère sera avec moi. Je suis moins douée avec les humains qu'avec les animaux! En général, c'est lui qui brise la glace. Il raconte des blagues, il nous présente, il répond à toutes les questions sur les jumeaux. Toujours les mêmes, pas toutes futées: «Est-ce que vous êtes des vrais jumeaux?» Un garçon et une fille! Comment on pourrait être monozygotes?

Mais Samuel répond avec patience:

— Non, on est hétérozygotes!

Et il explique la différence.

Moi, ça me rend nerveuse. Surtout que, la plupart du temps, les filles veulent seulement en apprendre davantage sur Samuel!

Il faut que j'arrête de penser à demain! Malheureusement, je ne peux même pas aller câliner les chats du refuge pour me détendre.

Je voudrais m'enfuir comme le tigré. Loin! Courir vers mon ancienne maison, courir vers mon ancien collège, courir vers ma vie d'avant.

Ouvrage composé par
PCA - 44400 REZÉ

Cet ouvrage a été imprimé en France par

BUSSIÈRE

à Saint-Amand-Montrond (Cher)
en décembre 2012

N° d'impression : 124028/1.
Dépôt légal : janvier 2013.

MIXTE
Papier issu de
sources responsables
FSC® C003309
www.fsc.org

www.pocketjeunesse.fr
PKJ • POCKET JEUNESSE

12, avenue d'Italie – 75627 PARIS Cedex 13